0.5秒で決める！

ショートカットキー超速時短術

日経PC21 編

日経BP

●本書の解説は、2020年4月時点の最新版のウィンドウズ10および同OS上で動作するワード、エクセル、クロームなどのアプリケーションに基づいています。基本的な操作方法はほかのバージョンでも同じですが、画面の見た目や動作が一部異なる場合があります。

はじめに

パソコンは仕事を効率化するための道具です。書類の作成からデータの集計、情報の収集、取引先とのコミュニケーションまで、面倒な作業を素早く、かつ正確にこなすための強力な武器となります。

一方で、パソコンを操作する際のミスや戸惑いが、かえって仕事を遅くすることもあります。操作の方法がわからなければもちろん、もっと簡単な手順があるのに遠回りをしていると、無駄に時間と労力を費やしてしまいます。パソコンの操作方法を改善すれば、大きな「時短」につながることは間違いありません。

時短への道筋はいくつかありますが、最も簡単、かつ即効性があり、幅広く役立つのは「ショートカットキー」の活用です。ショートカットとは英語で「近道」のこと。つまりショートカットキーとは、面倒な操作を最短距離で実現する便利なキー操作のことです。

例えば、ある文字をコピーして別の場所に貼り付ける操作をメニュー操作で行うと、①文字の選択→②選択範囲をマウスの右ボタンでクリック→③「コピー」を選択→④貼り付け先の選択→⑤選択範囲をマウスの右ボタンでクリック→⑥「貼り付け」を選択——という6つの手順がかかります。これがショートカットキーなら、①文字の選択→②「Ctrl」キーと「C」キーを押す（コピー）→③貼り付け先の選択→④「Ctrl」キーと「V」キーを押す（貼り付け）——と、4手順に短縮できます。

もう1つ例を挙げましょう。エクセルで請求書などに今日の日付を入力するとき、カレンダーに目をやって今日が何月何日かを確認し、「2020年6月1日」などと1文字ずつ手入力してはいないでしょうか。日付を間違ったり、入力ミスをしたりすれば、さらに余計な時間がかかります。一方、ショートカットキーを使うとどうでしょう。実はエクセルでは、「Ctrl」キーを押しながら「;」

（セミコロン）キーを押すだけで、今日の日付を自動入力できます。通常なら7〜8秒はかかってしまう日付の入力も、ショートカットキーを使えばたったの「0.5秒」で完了します。

覚えるのは簡単、すぐ身に付く

ショートカットキーが便利なのは知っているけれど、なかなか覚えられない……という人がいるかもしれません。そこで本書では、ショートカットキーの習得を容易にする3つの工夫を施しました。

まず、ショートカットキーの利用シーンを明確にしました。どんなシーンで役立つのかがイメージできなければ、その有効性がわからず頭に入りません。本書ではすべての操作を画面付きで解説し、活用の場面がわかるようにしています。その分、解説するショートカットキーは厳選。本当に重要なものだけを取り上げています。

また、割り当てられたキーに由来があるものは、その由来を示しました。「コピー」に使うキーは「Copy」の「C」だというようにキーの由来がわかれば、ずっと覚えやすくなるでしょう。

さらに、ショートカットキーを楽しく学んでいただけるように、「5・7・5」の語呂合わせを考えたものもあります。ユーモアたっぷりの覚え方をイラスト付きで紹介しますので、口ずさみながらご活用ください。

最近はパソコンの主流がノートパソコンに移行し、外出先や電車の中などで作業する機会も増えています。ショートカットキーを身に付ければ、マウスを使えないノートパソコンでの作業も、難なくスピーディーにこなせるようになるはずです。本書が、皆さんの仕事効率化、そして時短の一助になれば幸いです。

日経PC21編集長　田村規雄

特典

ショートカットキー早見表&壁紙ダウンロードのご案内

本書の読者向けに、2つの特典コンテンツを用意しています。以下のURLから本書のウェブページにアクセスし、ダウンロードしてご活用ください。

https://nkbp.jp/2WB6dam

特典❶ プリントできるショートカットキー早見表

印刷して使える、主なショートカットキーの一覧表です。PDFファイルとなっていますので、プリンターで印刷してご利用ください。机の脇などに貼り付けておけば、いつでも確認でき便利です。

特典❷ パソコンで使えるデスクトップ壁紙

ウィンドウズ10のデスクトップ画面の背景として利用できる壁紙画像のファイルです。主なショートカットキーの一覧や、5・7・5の語呂合わせなどが描かれています。ショートカットキーが思い出せなかったときに、画面上ですぐに確認できます。

【壁紙の設定方法】

ウィンドウズ10で壁紙を設定するには、スタートメニューにある歯車ボタンを押して「設定」画面を開き、「個人用設定」を選びます。「背景」の項目にある「背景」欄を「画像」に指定し、「参照」ボタンを押して壁紙のファイルを選びます。

「PC21_SCjitan.zip」というZIP形式の圧縮ファイルをダウンロードできます。ダウンロード後、ファイルを右クリックして「すべて展開」をお選びください。するとパスワードを尋ねられるので、本書183ページに記載しているパスワードを入力してください。

本書の見方

本書では、ビジネスの現場で役に立つショートカットキーを、実際の利用シーンを例に挙げながら紹介しています。基本的には、テンキー付きのフルサイズキーボードで紹介していますが（**図1**）、「Home」／「End」キーや「PageUp」／「PageDown」キーなど一部がほかのキーと重複し、「Fn」キーを押しながら操作するノートパソコンのキーボードもありますのでご注意ください（**図2**）。

●フルサイズキーボード

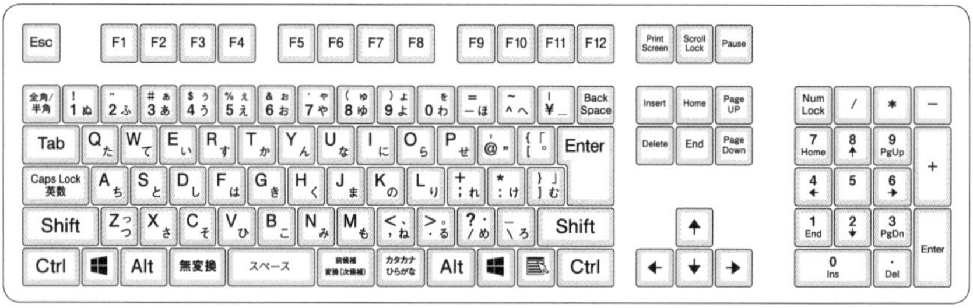

図1 テンキーもあり、ファンクションキーも単独で機能するタイプ。本書では基本的に、こちらのキーボードで解説している

●ノートパソコンのキーボード（一例）

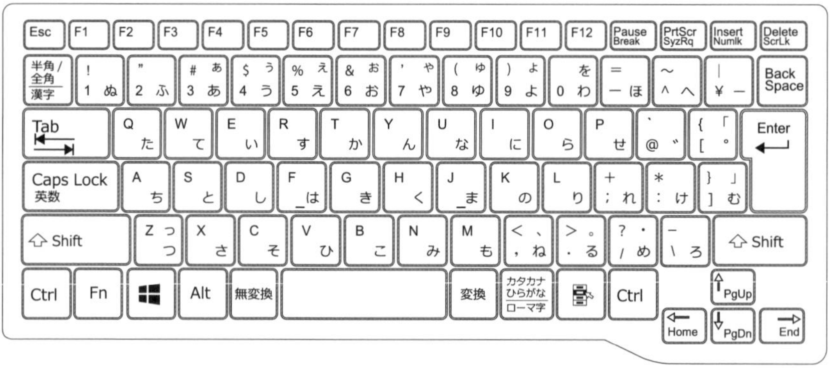

図2 テンキーはなく、「Home」や「PageUp」など一部のキーは「Fn」キーを押しながら押す必要がある。また「PageDown」は「PgDn」、「Print Screen」は「PrtScr」などと、表記が省略されている場合もある。「Ctrl」キーと「Fn」キーの位置が逆のもの、ファンクションキー機能を利用する場合に「Fn」キーを押す必要があるものもある（詳細は164ページ、179ページのワンポイント参照）

●キーの押し方

「Ctrl」+「D」と書いてある場合は、まず「Ctrl」キーを押し、そのキーを押したまま「D」キーを押します。離すときはどちらから離しても構いませんが、一般的には

❶「Ctrl」キーを押す
❷「Ctrl」キーを押した状態で「D」キーを押す
❸「D」キーを離す
❹「Ctrl」キーを離す

という順番です。

3つのキーを組み合わせたショートカットキーの場合も同様です。

47ページの「Alt」+「Tab」など、押すたびに表示が切り替わるような場合は、「Alt」キーはずっと押したまま、「Tab」キーをポンポンと、何度か押していくイメージです。

●お役立ち度

それぞれのショートカットキーに「お役立ち度」を星5つで表記しました。

★★★★★	絶対覚えておくべき
★★★★☆	覚えておくとかなり便利
★★★☆☆	使い方によっては覚えておくと重宝
★★☆☆☆	余裕があったら覚えよう

※本書で使用しているキーボードの配列は、日本語109キーボード（JIS配列）に従っています。
※本書の解説用画面はウィンドウズ10およびワード、エクセルの最新版を使用しています。ほかのバージョンでも、基本的な使い方は同じです。
※5章のブラウザーの画面は「グーグル クローム」を使用していますが、「マイクロソフト エッジ」でも使えます。挙動が異なる場合は、各ページでその旨記載しています。
※6章の日本語入力は、ウィンドウズ10に付属している「Microsoft IME」を使用しています。「ATOK」などではショートカットキーが一部異なる場合があります。

CONTENTS

2章 デスクトップ 39

CONTENTS

CONTENTS

4章 ワード 115

5章 ブラウザー 141

CONTENTS

6章 日本語入力 165

●ワンポイント

1章

ファイル操作

ファイルを別のフォルダーに移動したり
削除したりすることはもちろん、
そのためのフォルダーの切り替えや、
エクスプローラーの表示の変更といった作業が
ショートカットキーでできれば
非常にスムーズだ。

お役立ち度 ★★★★★

ファイルをコピーする、切り取る、貼り付ける

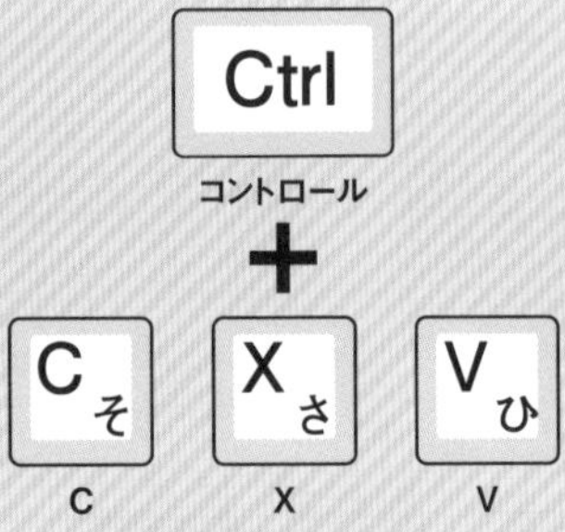

「Ctrl」キーと「C」キーを押すとコピー、「Ctrl」キーと「X」キーを押すと切り取り、コピーや切り取りの操作の後、「Ctrl」キーと「V」キーを押すと貼り付けとなる

ファイルのコピーや移動は、ショートカットキーを使うと格段に速くなる。

コピーするには、まず対象となるファイルを選んで「Ctrl」キーを押しながら「C」キーを押す（**図1**）。次にコピー先のフォルダーを開いて、「Ctrl」+「V」キーを押せばよい（**図2**）。移動したい場合は、コピー操作の代わりに「Ctrl」+「X」キーで切り取る。右手のマウス操作でウインドウを切り替え、左手のキー操作でコピーや貼り付けを実行するのがコツだ。

■「Ctrl」＋「C」→「Ctrl」＋「V」でファイルをコピーできる

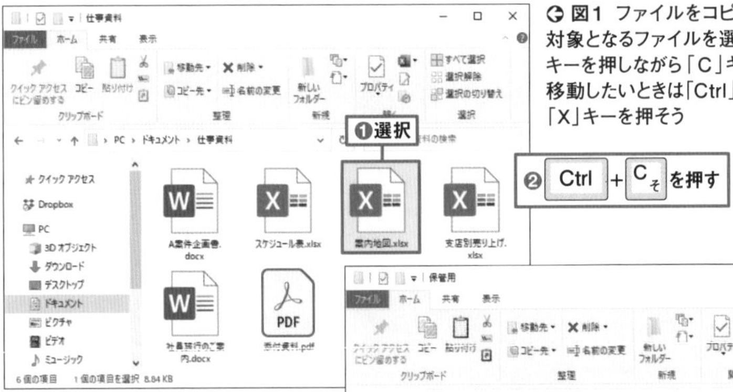

◀ **図1** ファイルをコピーするには、まず対象となるファイルを選択し（❶）、「Ctrl」キーを押しながら「C」キーを押す（❷）。移動したいときは「Ctrl」キーを押しながら「X」キーを押そう

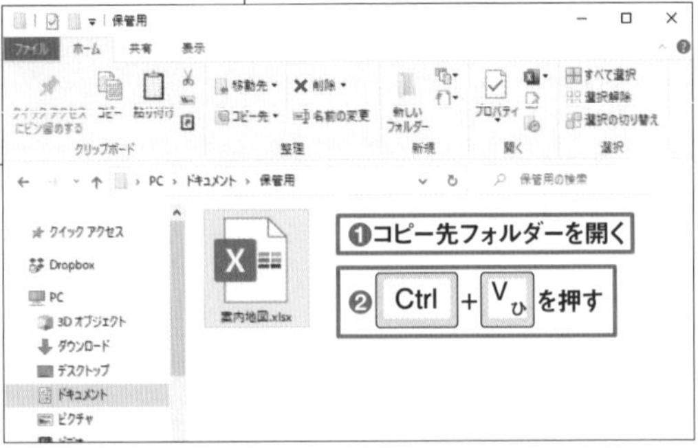

▶ **図2** コピー先または移動先のフォルダーを開き（❶）、「Ctrl」キーを押しながら「V」キーを押す（❷）。するとファイルをコピーまたは移動できる

近藤《こんどう》さん、V《ブイ》字《じ》に湿布《しっぷ》、貼《は》り付《つ》けた

Ctrl　　V ひ　　貼り付け

Column なぜ「C」「X」「V」なのか?

「コピー」の操作に「Ctrl」+「C」というショートカットキーが割り振られているのは、「Copy」の「C」だと考えればわかりやすい。しかし、「切り取り」は「Cut」なので「C」がかぶってしまうし、「貼り付け」は「Paste」なので「印刷(Print)」の「P」とかぶってしまう。そこで、「C」の左隣にある「X」を「切り取り」、右隣にある「V」を「貼り付け」に割り振ったというのが定説だ。実はこのショートカットキーは、もともとマックOSで採用されていたもの。ウィンドウズ3.0までは、「コピー」が「Ctrl」+「Insert」、「切り取り」が「Shift」+「Delete」、「貼り付け」が「Shift」+「Insert」だった。ウィンドウズ3.1以降でマックOSと共通のキーが使えるようになったが、現在のウィンドウズ10でも、「Shift」+「Delete」以外のショートカットキーは利用可能だ。

お役立ち度 ★★★★

ドラッグ操作を途中で中止する

ドラッグ操作をしている最中に「Esc」キーを押す。「Escape」は「逃亡・脱出」の意味

ファイルの移動やコピーのためドラッグしている途中で、違うファイルだったことに気が付いた——。こんなとき、いちいち元のフォルダーにファイルを戻したりしていないだろうか。実は、ドラッグ操作は途中で簡単にキャンセルできるのだ。ドラッグの最中に「Esc」キーを押すだけでよい（**図1**）。例えばエクセルで図形などをドラッグで移動している際にも、このワザは有効だ。「Esc」キーは操作をキャンセルするときに使うことが多い。

■「Esc」キーで操作をキャンセル！

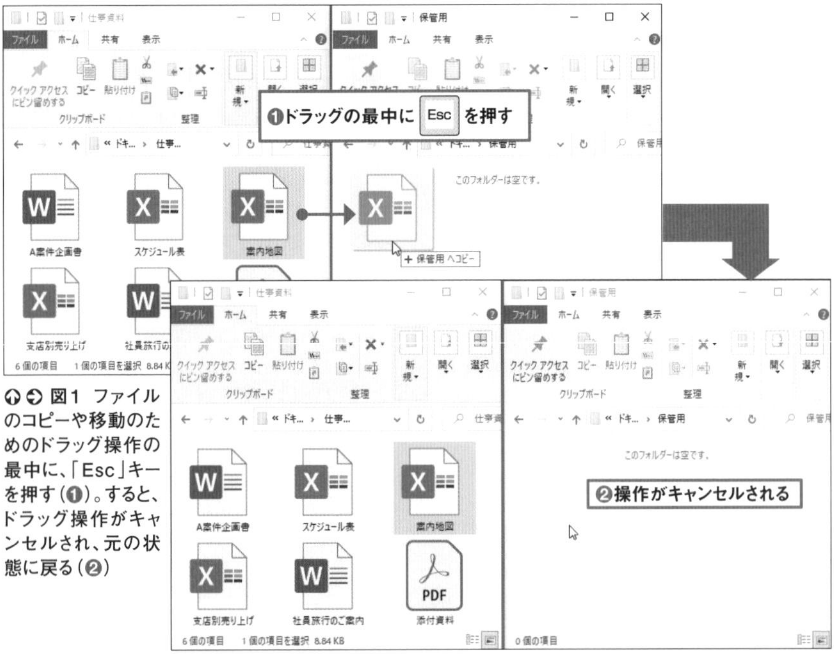

⇧⇨ **図1** ファイルのコピーや移動のためのドラッグ操作の最中に、「Esc」キーを押す（❶）。すると、ドラッグ操作がキャンセルされ、元の状態に戻る（❷）

お役立ち度 ★★★

エクスプローラーを起動する

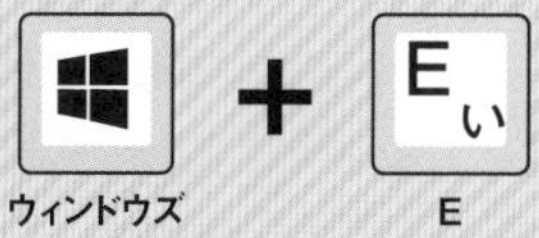

「ウィンドウズ」キーを押しながら「E」キーを押す。「Explorer」の「E」だ

ファイルを利用するときに、まず開きたいのはエクスプローラーだ。しかし、いちいちスタートメニューから開くのは面倒。タスクバーに登録しておき、マウスクリックで開く方法も手早くて良いが、キーボードから手を離さずに、一発でエクスプローラーを開くキー操作を覚えておくとさらに便利だ。「ウィンドウズ」キーを押しながら「E」キーを押すと、標準では「クイックアクセス」が選択された状態でエクスプローラーが開く（**図1**）。

■「ウィンドウズ」＋「E」でエクスプローラーを一発表示

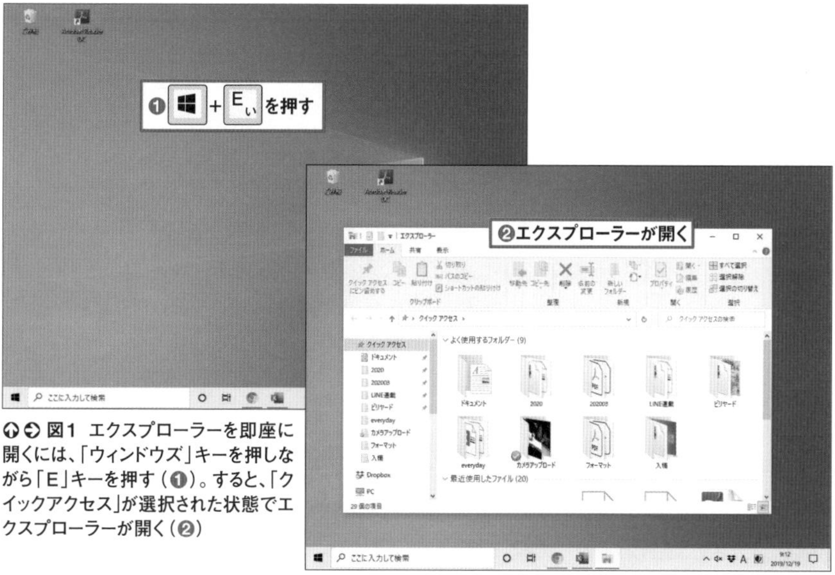

⇧⇨ 図1 エクスプローラーを即座に開くには、「ウィンドウズ」キーを押しながら「E」キーを押す（❶）。すると、「クイックアクセス」が選択された状態でエクスプローラーが開く（❷）

お役立ち度 ★★★

エクスプローラーの新規ウインドウを開く

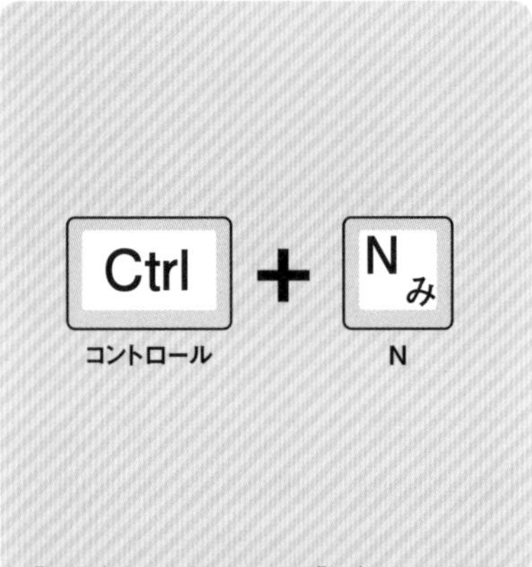

「Ctrl」キーを押しながら「N」キーを押す

エクスプローラーを最前面に開いた状態で、「Ctrl」キーを押しながら「N」キーを押す。すると、今開いているエクスプローラーと同じ状態の新規ウインドウが開く（**図1**）。例えば、ドキュメントの「仕事資料」フォルダーを表示している状態で押せば、新規で開くウインドウも、「仕事資料」フォルダーが開いた状態となる。「New」(新しい)の「N」と覚えておこう。「Ctrl」+「N」キーは、ブラウザーやエクセル、ワードなどでも共通で使える。

■「Ctrl」+「N」で同じ状態のエクスプローラーを新規で開ける

⇧⇨ 図1　エクスプローラーを最前面に開いた状態で「Ctrl」キーを押しながら「N」キーを押すと（❶）、今開いているエクスプローラーと同じ状態の新規ウインドウが開く（❷）。デスクトップ画面が表示されている状態でこのキーを押すと、「デスクトップ」が表示された状態でエクスプローラーが開く

お役立ち度 ★★★

フォルダーを別のウインドウで開く

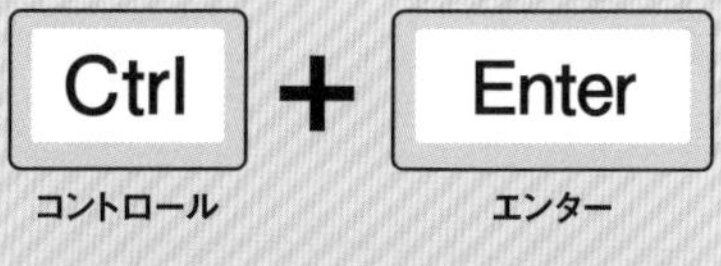

フォルダーを選択した状態で、「Ctrl」キーを押しながら「Enter」キーを押す

通常、別のフォルダーを選択すると、同じウインドウ内で表示が切り替わる。しかし、2つのフォルダーの内容を比較したい、中に入っているファイルを同時に確認したいなど、新しいウインドウでフォルダーを開きたいことも多いだろう。

そんなときは、フォルダーを選択した状態で、「Ctrl」キーを押しながら「Enter」キーを押せばよい。すると、選択したフォルダーの内容が、別の新規ウインドウ内に表示される（**図1、図2**）。

「Ctrl」＋「Enter」ならフォルダーを別ウインドウで開ける

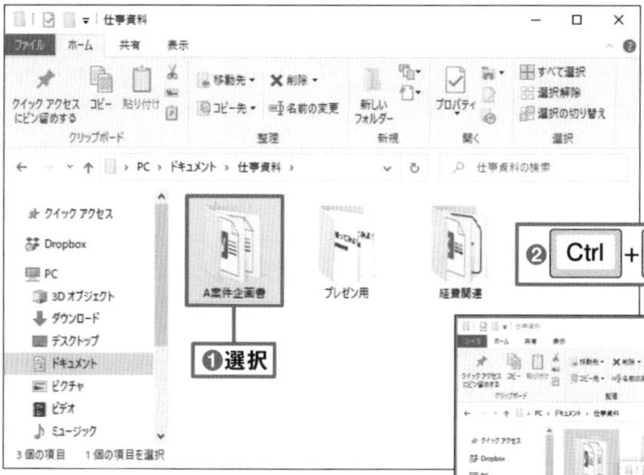

図1 別のウインドウで開きたいフォルダーを選択し（❶）、「Ctrl」キーを押しながら「Enter」キーを押す（❷）

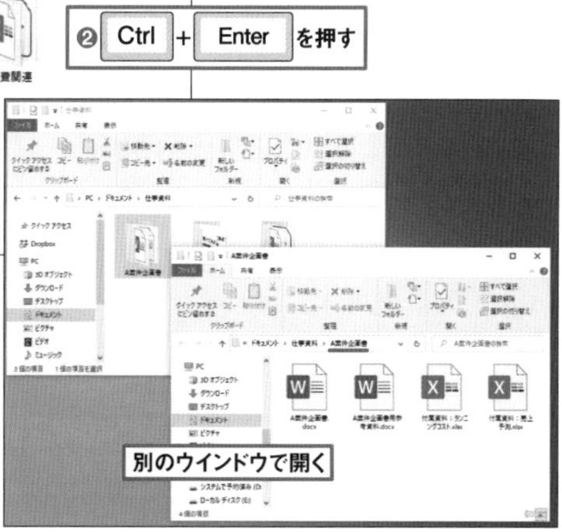

図2 選択したフォルダーの中身が別のウインドウで開く

お役立ち度 ★★★★★

すべてのファイルを選択する

「Ctrl」キーを押しながら「A」キーを押す

フォルダー内にあるすべてのファイルを選択したいことは多いだろう。最初のファイルを選択した状態で「Shift」キーを押し、そのまま最後のファイルをマウスでクリックするという方法もあるが、もっと簡単なキー操作がある。

「Ctrl」キーを押しながら「A」キーを押すと、そのフォルダー内のすべてのファイルを選択できる（**図1、図2**）。「All」（すべて）の「A」と覚えておこう。このワザは、ほかのアプリでも使える。

■「Ctrl」キーを押しながら「A」キーですべて選択!

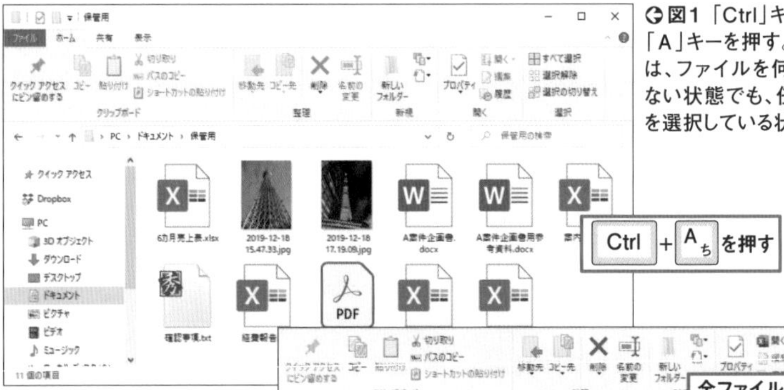

図1 「Ctrl」キーを押しながら「A」キーを押す。キーを押す前は、ファイルを何も選択していない状態でも、任意のファイルを選択している状態でもよい

図2 すべてのファイルが選択される。まとめてコピーしたり移動したりしたいときに便利だ

近藤《こんどう》さん、エイッと金魚《きんぎょ》を、全部《ぜんぶ》捕《と》り

Ctrl　Aち　すべて選択

Column　すべて選択した後、1つだけ除外

フォルダー内にあるファイルのうち、1～2個を除外して、残りをすべて選択したい場合がある。そんなときに便利なのが、マウスも併用したテクニックだ。

まず、「Ctrl」＋「A」キーを使ってファイルをすべて選択したら、除外したいファイルを「Ctrl」キーを押しながらクリックしよう。すると、クリックしたファイルだけ、選択を解除できる。これで不要なファイルだけ除外すれば、残りすべてを選択した状態にできる。

「Ctrl」＋クリックはもともと、ファイルを追加選択する操作だ。選択したいファイルを、「Ctrl」キーを押しながらクリックしていくと、それらのファイルだけ選択できる。そして、同じファイルをもう1回クリックすると、選択を解除することができる。

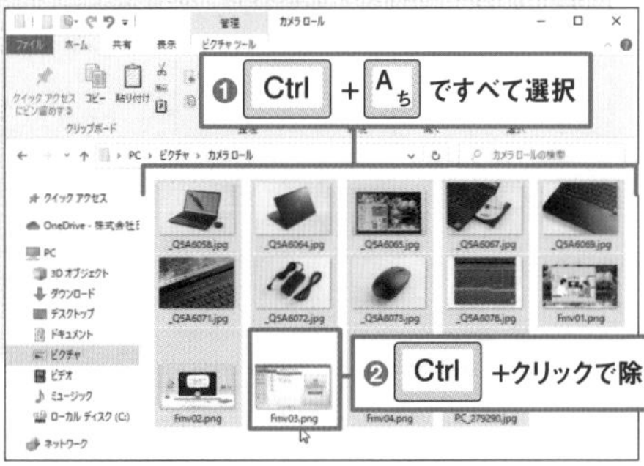

お役立ち度 ★★★

複数の項目を選択する

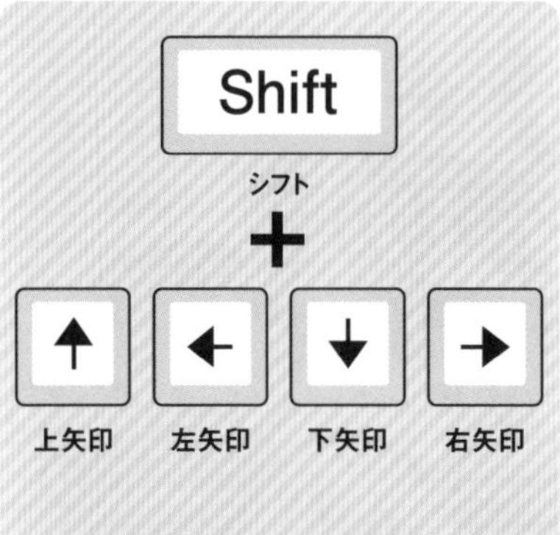

「Shift」キーを押しながら矢印キーを押すと選択範囲を変更できる

連続したファイルを複数選択する場合、「Shift」キーと矢印キーを使うと、選択の範囲を広げたり縮めたりできる。

アイコンで表示しているとき、「Shift」キーを押しながら「→」キーを押すと、1つずつ選択範囲を広げていける。「←」なら狭まっていく（**図1**）。「↑」や「↓」も組み合わせ可能だ。詳細や一覧表示のときは「Shift」+「↓」で1つずつ範囲を拡大、「Shift」+「↑」で1つずつ範囲を縮小できる（**図2**）。

■「Shift」キーと矢印キーを組み合わせれば選択範囲も自由自在

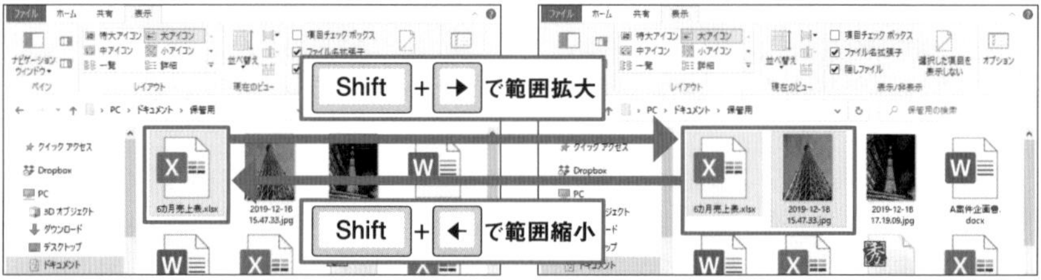

図1 アイコン表示時、1つめのファイルを選択した状態で、「Shift」キーを押しながら「→」（右矢印）キーを押すと、選択範囲を拡大できる。2回押せば3つのファイルを同時選択できる。逆に「Shift」+「←」（左矢印）キーを押すと、選択範囲が縮小する

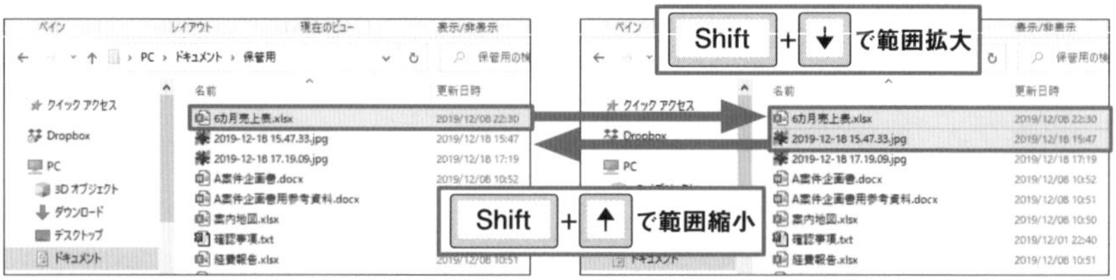

図2 詳細表示や一覧表示（ファイルが下方向に並んでいる場合）は、「Shift」キーを押しながら「↓」（下矢印）キーを押すと選択範囲を拡大、「Shift」+「↑」（上矢印）キーで選択範囲を縮小できる

お役立ち度 ★★★★

新規フォルダーを作成する

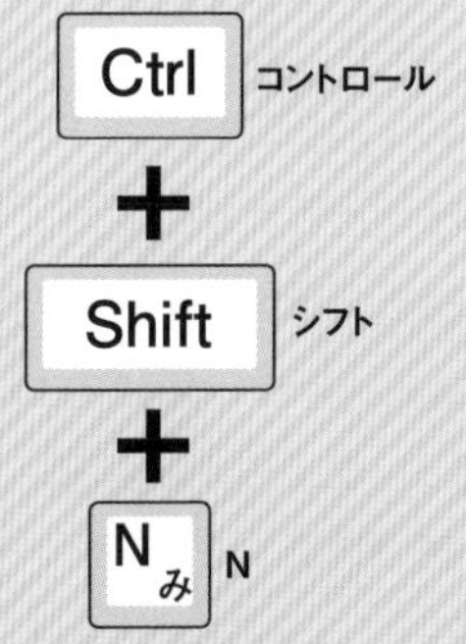

フォルダーを開いた画面で、「Ctrl」キーと「Shift」キーを押しながら「N」キーを押す

ファイルを整理するため、新規にフォルダーを作成し、分野別や月別の名前を付けたフォルダーに仕分けすることは多い。

こうした新規フォルダーの作成は、キー操作だけで可能だ。作成した後にフォルダーに名前を付けることを考えると、マウス操作より効率的。フォルダーを開いた画面で「Ctrl」キーと「Shift」キーを押しながら「N」キーを押すと、開いているフォルダーの中に新規フォルダーを作成できる（**図1、図2**）。

■「Ctrl」＋「Shift」＋「N」で新規フォルダーを一発作成

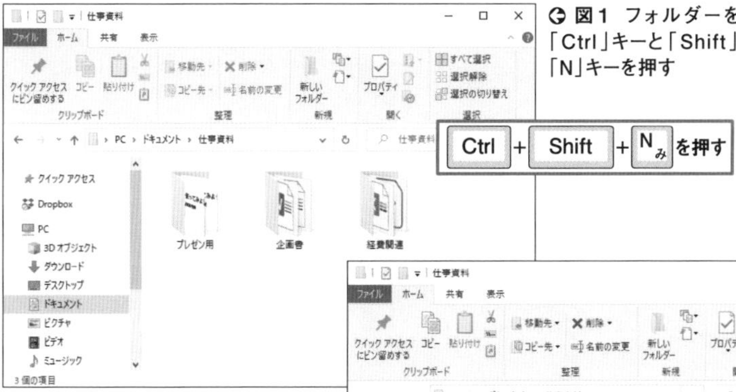

➡ **図1** フォルダーを開いた画面で、「Ctrl」キーと「Shift」キーを押しながら「N」キーを押す

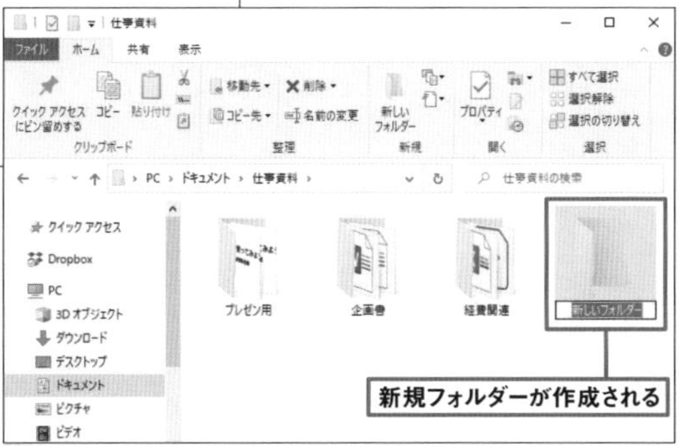

➡ **図2** 新規フォルダーが作成される。フォルダー名が選択された状態になっているので、好きな名前を入力しよう

お役立ち度 ★★★★

1つ上の階層のフォルダーを開く

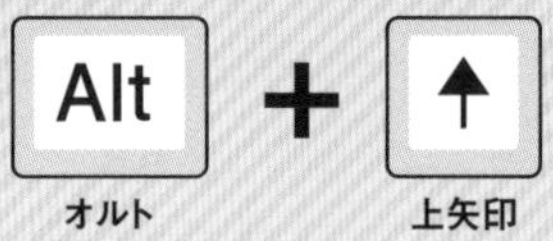

「Alt」キーを押しながら「↑」(上矢印)キーを押す

ファイルを探しているときは、素早くフォルダーの表示を切り替えたいもの。こういったフォルダー操作のワザが、ウィンドウズにはいくつもある。

例えば、エクスプローラーで1つ上の階層のフォルダーに表示を切り替えたいケース。一度上の階層に戻って、別のフォルダーを開きたいといったシチュエーションは多いだろう。こんなときは、「Alt」キーを押しながら「↑」(上矢印)キーを押せばよい(**図1**、**図2**)。

■「Alt」+「↑」で1つ上の階層に一発ジャンプ!

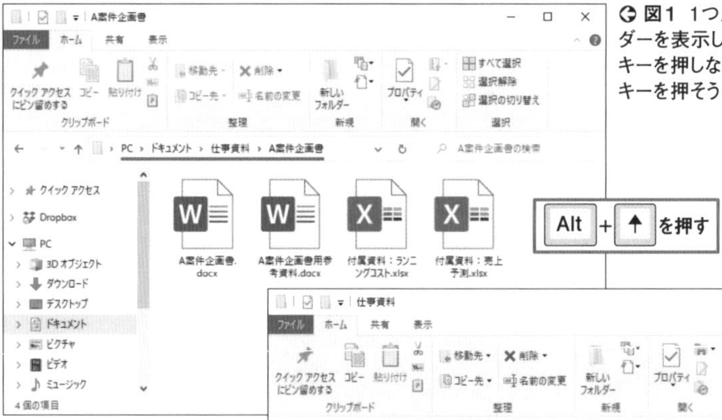

図1 1つ上の階層のフォルダーを表示したいときは、「Alt」キーを押しながら「↑」(上矢印)キーを押そう

図2 これで、1つ上の階層のフォルダーに表示が切り替わる

お役立ち度 ★★★★

直前に開いたフォルダーへ切り替える

「Alt」キーを押しながら「←」（左矢印）を押す

目的のファイルを探し出す際には、いくつものフォルダーを行き来することが多い。こんなとき、直前に開いていたフォルダーへ素早く表示を切り替えられると、作業が楽になる。

エクスプローラーのフォルダーを開いた画面で、「Alt」キーを押しながら「←」（左矢印）キーを押すと、直前のフォルダーを表示できる（**図1**）。その後やはり元のフォルダーを再表示したいときは、「Alt」+「→」(右矢印)キーを押す。

■「Alt」+「←」で戻る、「Alt」+「→」で進む

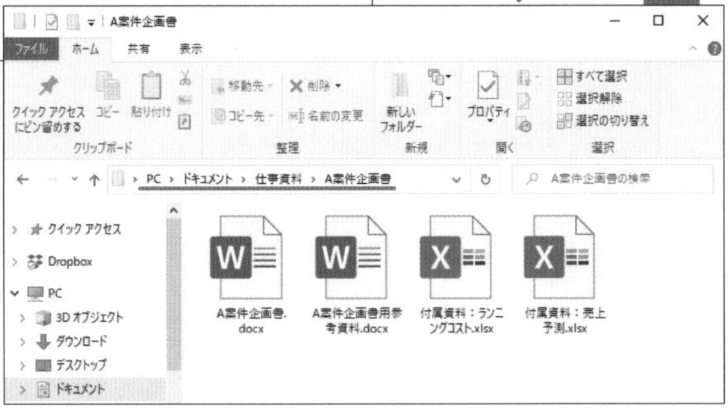

⇧⇨ **図1** 直前に表示していたフォルダーに切り替えるには、「Alt」キーを押しながら「←」（左矢印）キーを押せばよい。戻ったけれど、もう一度進みたい（さっきの表示に戻したい）ときは、「Alt」キーを押しながら「→」（右矢印）キーを押す。ブラウザーの「戻る」「進む」の矢印キーをイメージすれば覚えやすい

お役立ち度 ★★★★★

ファイルをごみ箱へ移動する

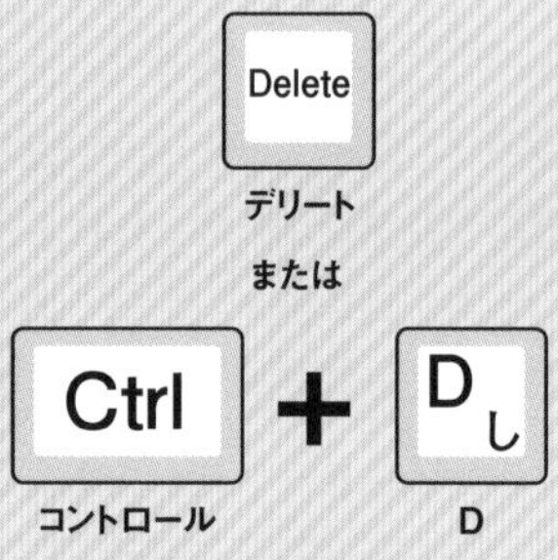

削除したいファイルやフォルダーを選択して、「Delete」キー、または「Ctrl」キーを押しながら「D」キーを押す

不要なファイルを削除するには、ごみ箱へドラッグするか、右クリックメニューから「削除」を選ぶ。だが、ウインドウに隠れてごみ箱が見えないことがある、メニュー操作も2ステップ必要など、やや面倒だ。

そんなときこそキー操作。ファイルを選択して「Delete」キーを押すだけだ（**図1**）。確認メッセージが表示される場合は「Enter」キーを押す。キャンセルしたいときは、「Esc」キーを押そう。「Ctrl」+「D」キーでもファイルを削除できる。

■「Ctrl」+「D」ならホームポジションのままごみ箱へ!

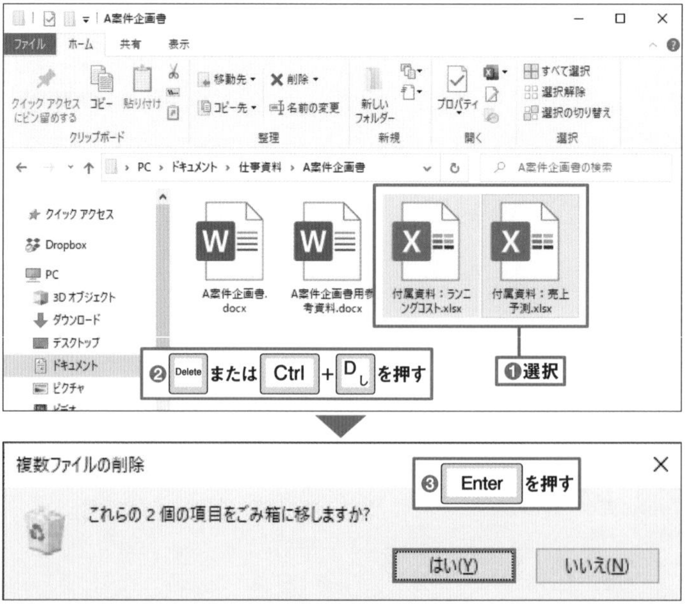

図1 削除したいファイルやフォルダーを選択して（❶）、「Delete」キーを押す（❷）。「…をごみ箱に移しますか?」というメッセージが表示される場合は、「Enter」キーを押す（❸）。キャンセルしたいときは「Esc」キーを押せばよい。「Ctrl」+「D」キーでも「Delete」と同じ結果が得られる。「Ctrl」+「D」なら、ホームポジションから手を離すことなくキーを押せるので、より時短できる

お役立ち度 ★★★★★

ファイルをごみ箱へ入れず削除する

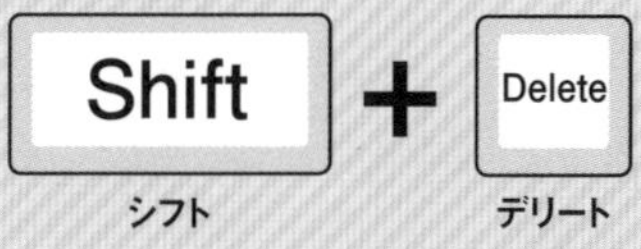

削除したいファイルやフォルダーを選択し、「Shift」キーを押しながら「Delete」キーを押す

ファイルをごみ箱へ入れると、一定期間保管された後、完全に削除される。うっかり削除したファイルも一定期間は復元できて便利だが、痕跡を残さぬよう、即座に削除したいケースもあるだろう。

こんなときは、ファイルを選択して、「Shift」キーを押しながら「Delete」キーを押せばよい（**図1**）。ごみ箱に保管されず、即座にファイルを削除できる。ただし、この操作で削除したファイルは元に戻せないので、注意しよう。

■「Shift」+「Delete」なら完全削除できる

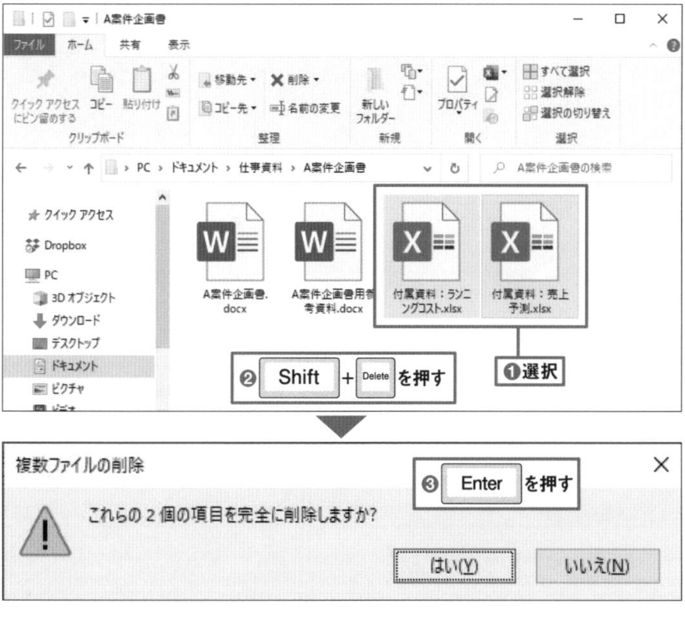

図1 ファイルやフォルダーをごみ箱に入れずに即座に消去するには、ファイルやフォルダーを選んで（❶）、「Shift」キーを押しながら「Delete」キーを押す（❷）。下図のメッセージが表示されるので、「Enter」キーを押せば完了だ（❸）。キャンセルしたいときは「Esc」キーを押せばよい

お役立ち度 ★★★★★

ファイル名を変更する

ファイルやフォルダーを選択した状態で「F2」キーを押す

通常、ファイルやフォルダーの名前を変更するには、右クリックしてメニューから「名前の変更」を選ぶ。または、ファイル名の部分をダブルクリックして編集状態にする。だが、マウス操作が面倒だったり、うまく編集状態にできなかったりと、スムーズとはいえない。

そこで、ファイルやフォルダーを選択した状態で「F2」キーを押す。すると簡単かつ確実に、ファイル名やフォルダー名を変更できる状態になる（**図1**）。

■「F2」キーを使えば、名前の入力までの操作がスムーズ

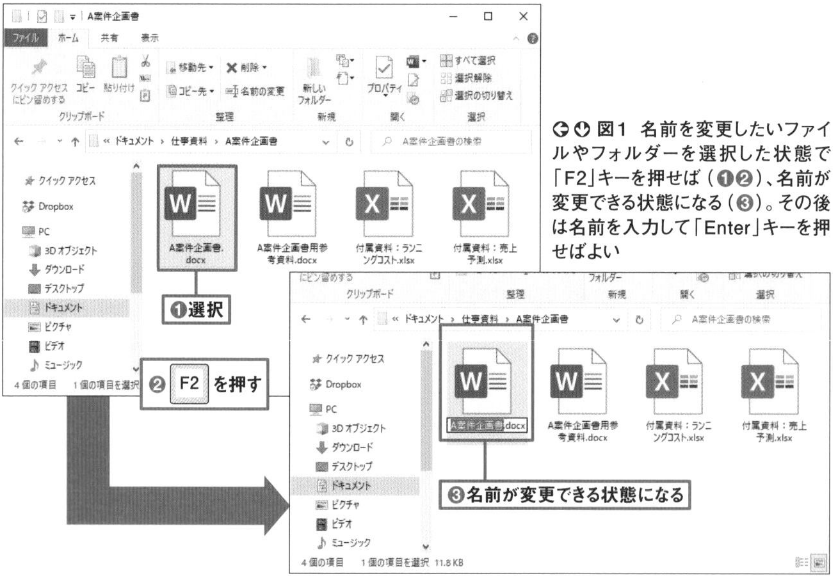

⬅⬇ **図1** 名前を変更したいファイルやフォルダーを選択した状態で「F2」キーを押せば（❶❷）、名前が変更できる状態になる（❸）。その後は名前を入力して「Enter」キーを押せばよい

フミちゃんと、2人《ふたり》で名前《なまえ》、書《か》き直《なお》し

F2

ファイル名の変更

Column 連番付きの名前に一括変更

写真を整理するときなど、複数のファイルに連番を振ったファイル名を付けたいことがある。そんなときは、連番にしたいファイルをすべて選択した状態で「F2」キーを押そう。すると、すべてのファイルが選択されたまま、1つのファイル名が編集可能な状態になるので、適当な名前に書き換えて「Enter」キーを押す。これで、そのファイルを「（1）」とした連番のファイル名に一括変更できる。

注意したいのは、この操作では初めに選択したファイルが「（1）」になる点だ。ファイルの順番を変えたくない場合は、最初に先頭（左上隅）のファイルをクリックして選択した後、「Ctrl」＋「A」キーですべてのファイルを選択し、「F2」キーを押そう。

お役立ち度 ★★★

エクスプローラーの表示形式を変更する

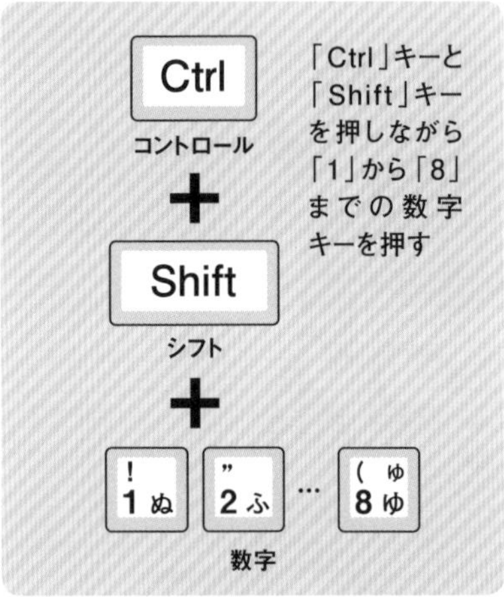

エクスプローラーは、いろいろな表示に変更できる。詳細表示にすれば、ファイルサイズや更新日時などが表示されるので、ファイルを比較するときに便利。中アイコンや大アイコンにすれば、一部のファイルはサムネイル表示になるため、目的のものを見つけやすい。

表示の変更は、「表示」タブでメニューを選択する以外に、「Ctrl」キーと「Shift」キーを押しながら、「1」から「8」までの数字を押すことでも可能だ（**図1**）。

■「Ctrl」＋「Shift」＋数字キーでエクスプローラーの表示形式を変更可能

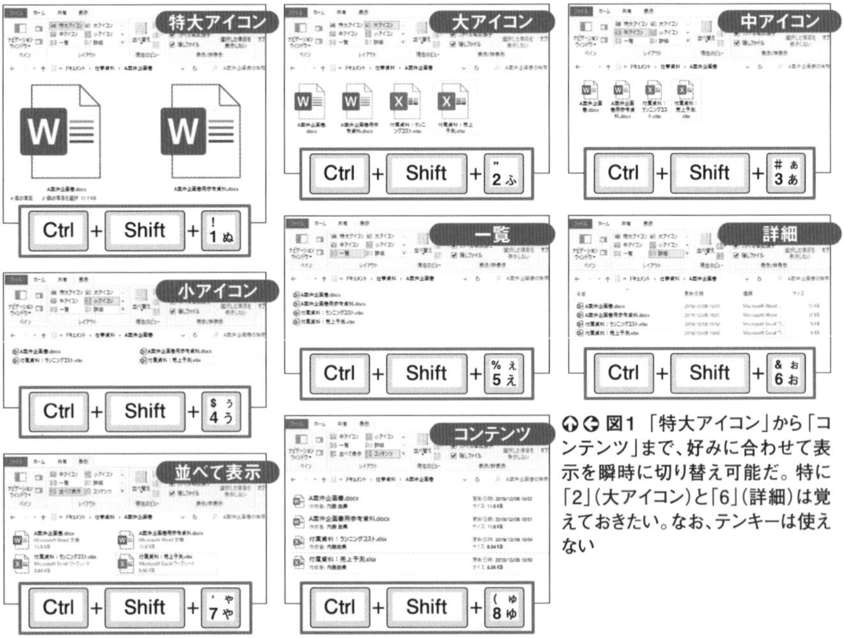

↑← **図1** 「特大アイコン」から「コンテンツ」まで、好みに合わせて表示を瞬時に切り替え可能だ。特に「2」（大アイコン）と「6」（詳細）は覚えておきたい。なお、テンキーは使えない

お役立ち度 ★★

リボンの表示／非表示を切り替える

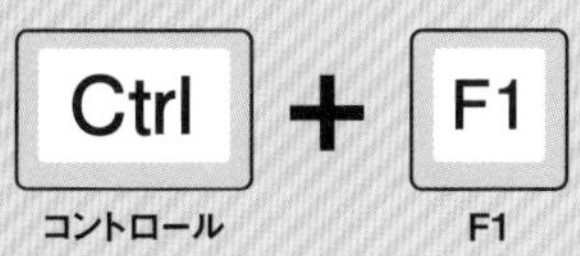

「Ctrl」キーを押しながら「F1」キーを押す

エクスプローラーの上端にある「リボン」は、さまざまな操作をメニューから選べて便利だが、かなりの高さを取ってしまう。小さい画面の中でできるだけ多くのファイルを表示したいときなど、一時的にリボンを非表示にしたいこともあるだろう。

そんなときは「Ctrl」キーを押しながら「F1」キーを押すと、リボンが非表示になる（**図1**）。もう一度同じキーを押すと表示されるので、簡単に表示と非表示を切り替えることができる。

■「Ctrl」＋「F1」でリボンの表示／非表示を即座に切り替えられる

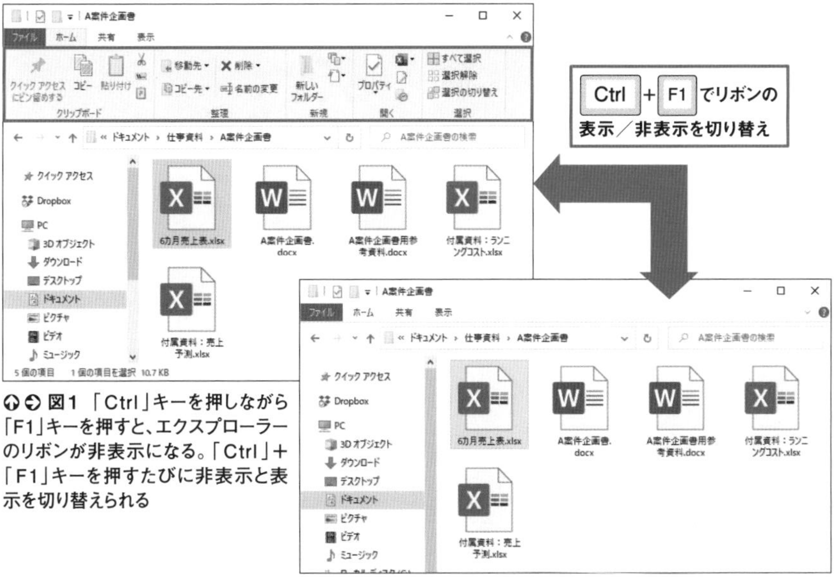

図1 「Ctrl」キーを押しながら「F1」キーを押すと、エクスプローラーのリボンが非表示になる。「Ctrl」＋「F1」キーを押すたびに非表示と表示を切り替えられる

お役立ち度 ★★★★

検索ボックスを選択する

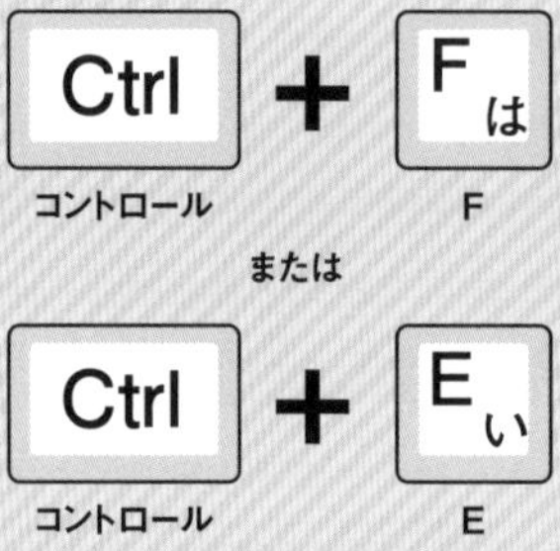

「Ctrl」キーを押しながら「F」キーまたは「E」キーを押す

エクスプローラーの検索ボックスにキーワードを入力すると、現在開いているフォルダー以下、すべてのサブフォルダーを含めて検索することができる。検索ボックスをマウスでクリックするのと同様の操作が、キー操作でも可能だ。

これには「Ctrl」キーを押しながら「F」キーまたは「E」キーを押せばよい（**図1**）。「Ctrl」+「F」は、ブラウザーなどでも共通して使えるので、こちらで覚えるのがオススメ。「Find」(見つける)の「F」だ。

■「Ctrl」+「F」で検索ボックスをアクティブに

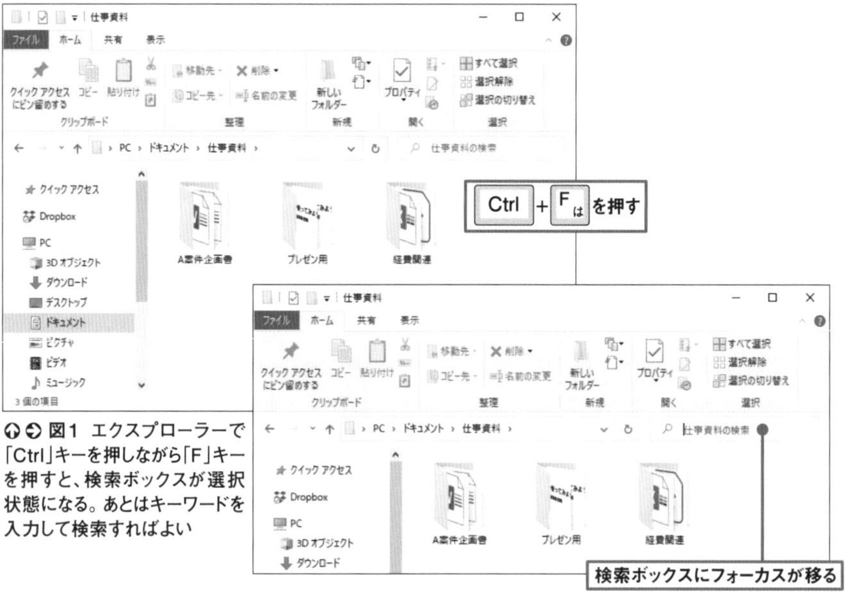

↑→ **図1** エクスプローラーで「Ctrl」キーを押しながら「F」キーを押すと、検索ボックスが選択状態になる。あとはキーワードを入力して検索すればよい

お役立ち度 ★★★

アドレスバーを選択する

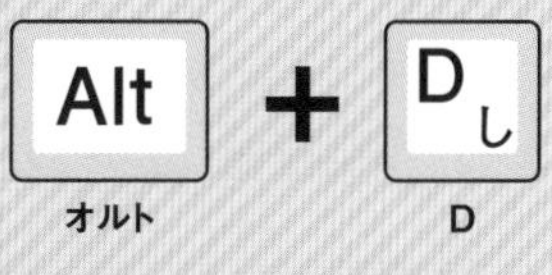

「Alt」キーを押しながら「D」キーを押す

左ページでは検索ボックスを選択するキー操作を紹介したが、ここではアドレスバーを選択するキーを紹介しよう。

「Alt」キーを押しながら「D」キーを押すと、アドレスバーにフォーカスが移る（**図1**）。ここには、フォルダーのパス（所在地）が記述されている。ファイルの保管場所をどこかに転記したい、人に伝えたいといったときには、この選択状態で「Ctrl」＋「C」キーを押してコピーし、メールなどに貼り付ければよい。

■「Alt」＋「D」でフルパスをすぐにコピーできる

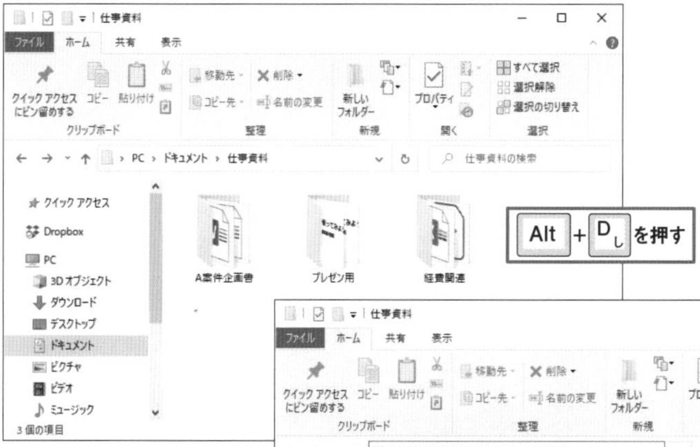

↑→ **図1** エクスプローラーで「Alt」キーを押しながら「D」キーを押すと、アドレスバーが選択状態になる。フォルダーのパスをコピーしたいときなどに便利だ

お役立ち度 ★★

アドレスバーに履歴を表示する

F4

「F4」キーを押すとアドレスバーのリストを表示する

エクスプローラーでファイル操作をしている際、以前に開いたフォルダーを表示したいことはよくある。そんなときは、アドレスバーに履歴を表示してそこから選ぶと効率的だ。

エクスプローラーが開いている状態で「F4」キーを押すと、アドレスバーの履歴一覧が表示される（**図1**）。そこから「↓」（下矢印）キーで表示したいフォルダーを選んで「Enter」キーを押せば、一発で目的のフォルダーに移動できる。

■「F4」キーで過去に開いたフォルダーのリストを表示できる

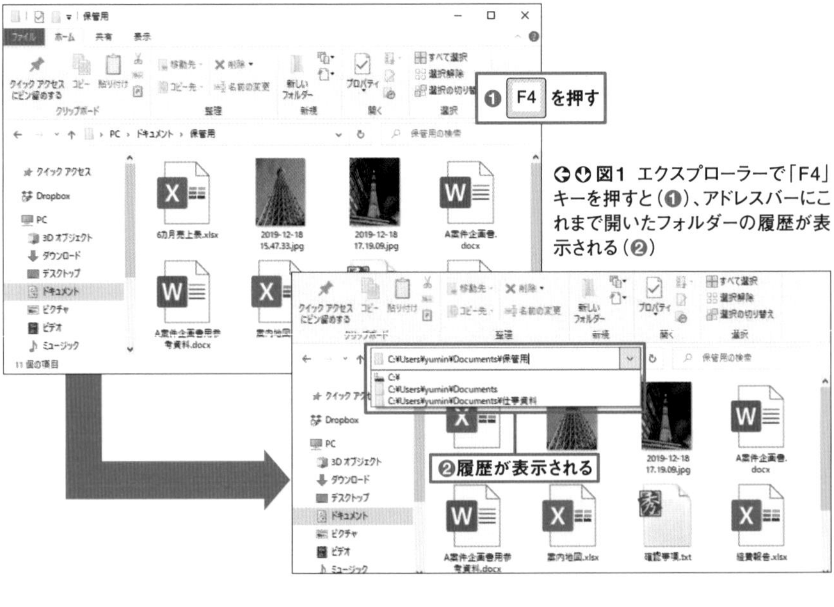

⬅⬇**図1** エクスプローラーで「F4」キーを押すと（❶）、アドレスバーにこれまで開いたフォルダーの履歴が表示される（❷）

お役立ち度 ★★

ファイルのプレビューを表示する

ファイルを選択した状態で、「Alt」キーを押しながら「P」キーを押す。「Preview」（プレビュー）の「P」と覚えておこう

エクスプローラーには、ファイルを開く前に内容を確認するプレビュー機能がある。この機能を利用するには、プレビューを見るための「プレビューウィンドウ」を表示する必要がある。

プレビューウインドウの表示は、メニューから選ぶ方法以外に、キー操作でも可能だ。「Alt」キーを押しながら「P」キーを押せばよい（**図1、図2**）。なおプレビュー機能は、すべてのファイルに対して有効というわけではない。

■「Alt」＋「P」でファイルの中身を確認できる

図1 ファイルを選択し（❶）、「Alt」キーを押しながら「P」キーを押す（❷）

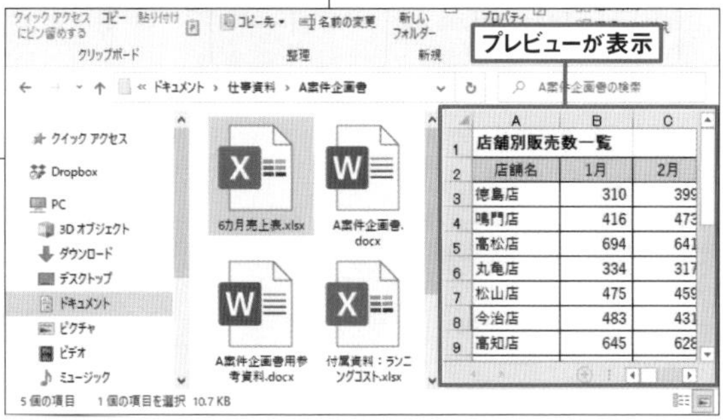

図2 プレビューウインドウに内容が表示される。プレビューウインドウを閉じるには、もう一度「Alt」＋「P」キーを押す

お役立ち度 ★★★

ファイルのプロパティを表示する

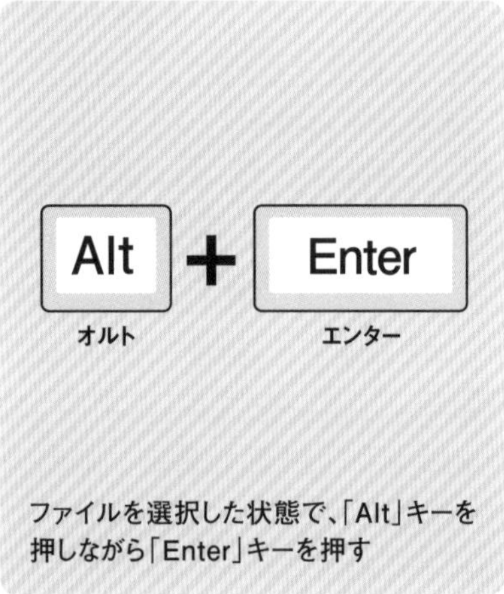

ファイルの作成者や、そのファイルが最初に作成された日時など、詳細な情報を確認したい場合は「プロパティ」と呼ばれる画面を開くとよい。

この画面は、キー操作一発で開くことができる。ファイルを選択した状態で、「Alt」キーを押しながら「Enter」キーを押せばよい（**図1、図2**）。なお、「Alt」+「Enter」キーは、エクセルでセルに文字を入力しているときに押せば、任意の位置での改行となる（80ページ参照）。

■「Alt」＋「Enter」でファイルの詳細情報を確認できる

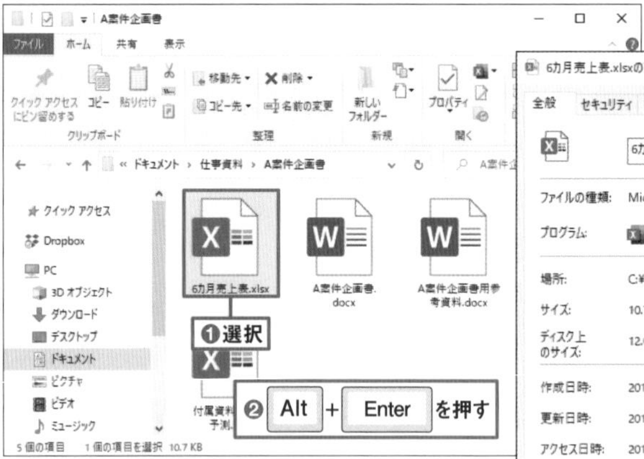

↑**図1** ファイルを選択し（❶）、「Alt」キーを押しながら「Enter」キーを押す（❷）

→**図2** すると、プロパティ画面が表示される。タブを切り替えて詳細な情報を確認できる

2章

デスクトップ

デスクトップにたくさんの画面を開いて
作業するのは日常茶飯事。
これらをスムーズに操ることができれば
相当な時短になる。
ほかにも素早く検索したり
設定を変更したりするのに
ショートカットキーが大活躍!

お役立ち度 ★★★★

デスクトップ画面を表示する

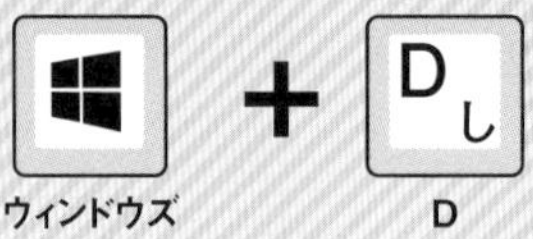

「ウィンドウズ」キー押しながら「D」キーを押す。「Desktop」の「D」と覚えよう

多くのウインドウを開いて作業していると、デスクトップ画面にあるアイコンを利用する際、ウインドウの位置をずらしてアイコンが見えるようにするのは面倒だ。

こんなときは、「ウィンドウズ」キーを押しながら「D」キーを押そう。開いているすべてのウインドウが最小化されてタスクバーに収まり、デスクトップ画面が表示される（**図1、図2**）。ほかの人に見られては困る画面を、急いで隠したいときにも有効だ。

「ウィンドウズ」＋「D」ですべてのウインドウを最小化!

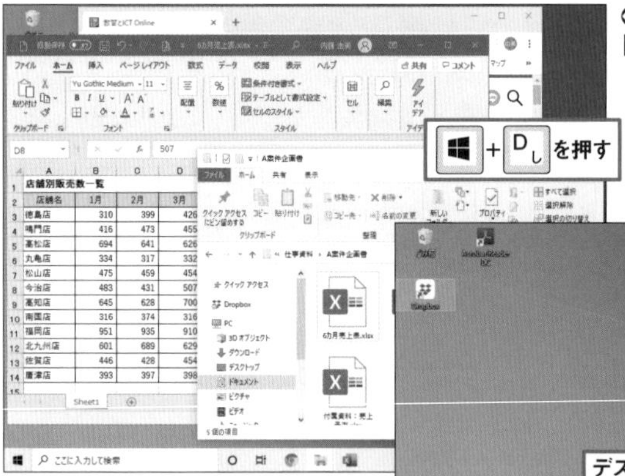

図1 「ウィンドウズ」キーを押しながら「D」キーを押す

図2 これですべてのウインドウが最小化されて画面下部のタスクバーに収まり、デスクトップ画面を表示できる。再度「ウィンドウズ」＋「D」キーを押すと、最小化されたウインドウが元に戻る

窓《まど》際《ぎわ》で、見《み》ていた動《どう》画《が》、すぐ隠《かく》し

[Windows] ＋ [D し]　デスクトップ画面の表示

Column タッチパッドのジェスチャーでも

ノートパソコンに付いているタッチパッドは、指でなぞってマウスポインターを操作するものだ。ウィンドウズ10には、このタッチパッドを使って特定の操作を実行する「ジェスチャー」機能が備わっている。例えば、タッチパッド上に2本の指を当てて前後に動かすと、画面をスクロールできる。

すべてのウインドウを最小化してデスクトップ画面を表示する操作も、タッチパッドで可能だ。標準では、3本指で手前になぞるジェスチャーがこれに割り当てられている（図はその設定画面の例）。反対に、3本指で奥に向かってなぞると、最小化したウインドウを元に戻せる。

設定 ▶ デバイス ▶ タッチパッド

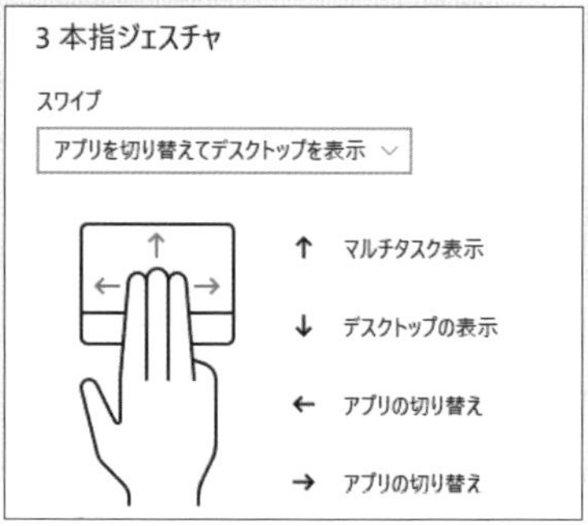

お役立ち度 ★★★

ウインドウを透明にしてデスクトップ画面を確認する

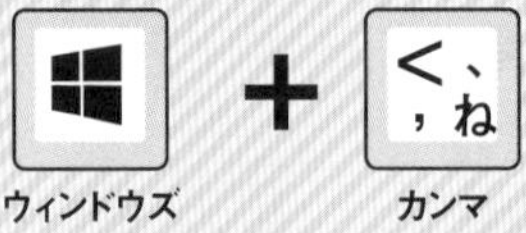

「ウィンドウズ」キーを押しながら「,」(カンマ)キーを押す。「,」キーからは指を離しても構わない

前ページで紹介した「ウィンドウズ」+「D」キーでもデスクトップ画面を表示できるが、「ちょっと確認したいだけ」というときは、「ウィンドウズ」キーを押しながら「,」(カンマ)キーを押そう(「,」キーからはすぐに指を離してOK)。すると、一時的にウインドウを透明にできる(**図1、図2**)。

本書特典のデスクトップ壁紙(ショートカットキー一覧、5ページ参照)をダウンロードして利用している人は、それを素早く確認するのに便利だ。

「ウィンドウズ」+「,」(カンマ)で、全ウインドウを一時的に透明化!

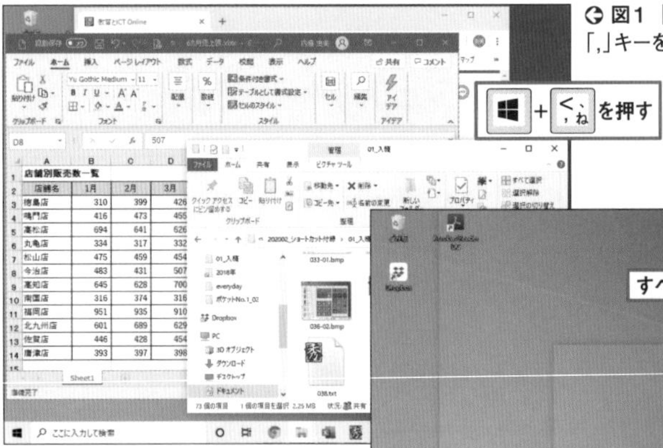

図1 「ウィンドウズ」キーを押しながら「,」キーを押し、「,」キーからは指を離す

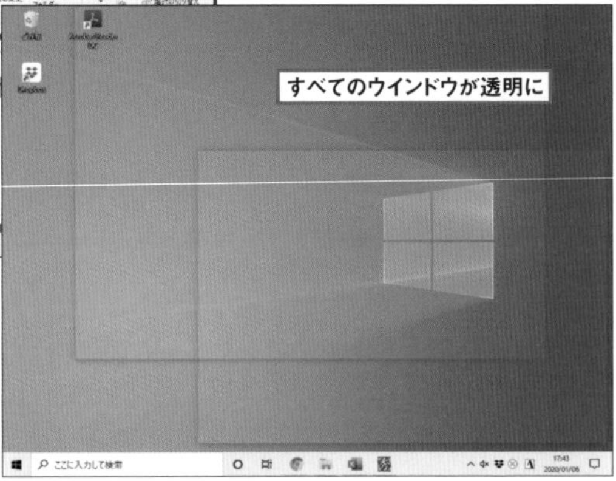

図2 すべてのウインドウが一時的に透明になり、デスクトップ画面上のアイコンや壁紙が見えるようになる。「ウィンドウズ」キーから指を離すと、元の状態に戻る。なお、透明になった状態で、デスクトップのアイコンを操作することはできない

お役立ち度 ★★★★

ウインドウを最大化／最小化する

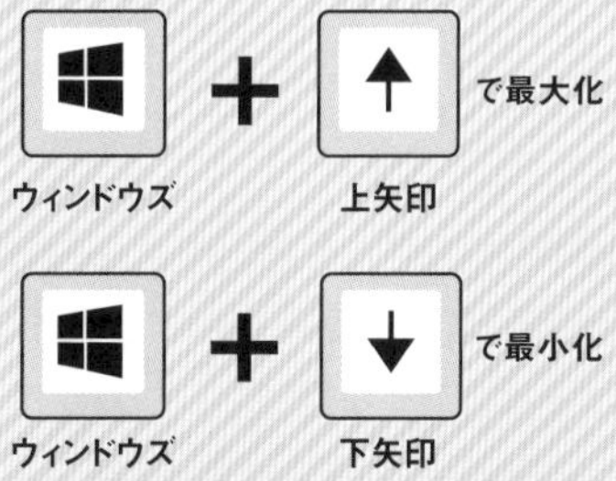

「ウィンドウズ」キーと上下矢印キーを使えば、最前面のウインドウを最大化・最小化できる

多くの情報を確認したいときは、ウインドウを「最大化」するとよい。また、今は使わないウインドウは「最小化」しよう。

「ウィンドウズ」+「↑」(上矢印)キーで最大化、「ウィンドウズ」+「↓」(下矢印)キーで最小化できる(**図1**)。最大化されたウインドウは、「ウィンドウズ」+「↓」キー1回で元のサイズに戻り、もう1回押せば最小化となる。そこで「ウィンドウズ」キーを押したまま「↑」キーを押すと元に戻る。もう1回押せば最大化できる。

「ウィンドウズ」+「↑」／「↓」でウインドウを最大化／最小化できる

図1 「ウィンドウズ」キーを押しながら「↑」(上矢印)キーを押すと、最前面のウインドウを最大化できる。「ウィンドウズ」キーを押しながら「↓」(下矢印)キーなら最小化だ。最大化の状態からなら「ウィンドウズ」+「↓」(下矢印)キー2回で最小化される

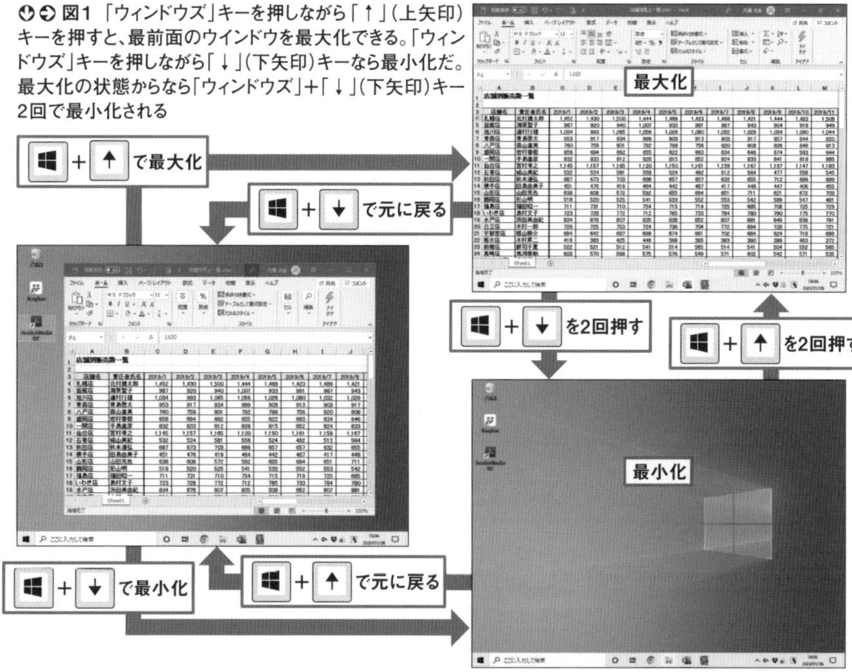

お役立ち度 ★★★★★

ウインドウを画面の左右半分に配置する

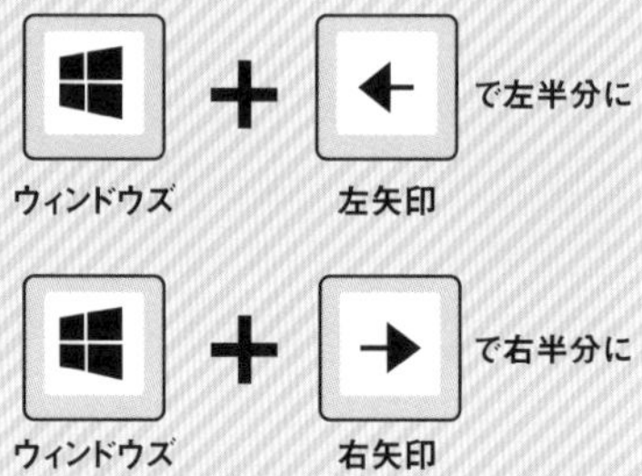

「ウィンドウズ」キーと左右矢印キーを使えば、最前面のウインドウを左半分や右半分に配置できる

2つのウインドウを並べて内容を比較したい。こんなときに便利なキーがある。

「ウィンドウズ」キーを押しながら「←」(左矢印)キーを押すと、最前面のウインドウを画面の左半分にピッタリ合わせて配置できる(**図1**、**図2**)。同様にして、比較したいウインドウを最前面に表示して「ウィンドウズ」+「→」(右矢印)キーを押すと、画面の右半分に配置される(**図3**)。これで2つの画面の内容を簡単に比較して作業できる。

「ウィンドウズ」+「←」/「→」でウインドウを左右に配置して比較!

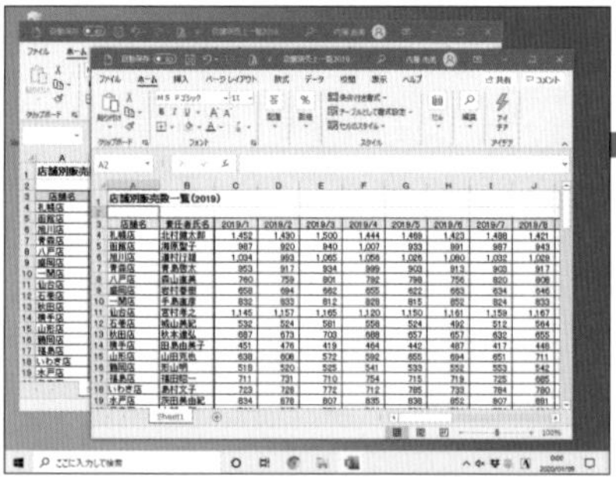

図1 「ウィンドウズ」キーを押しながら「←」(左矢印)キーを押す

図2 最前面のウインドウが画面の左半分に配置される

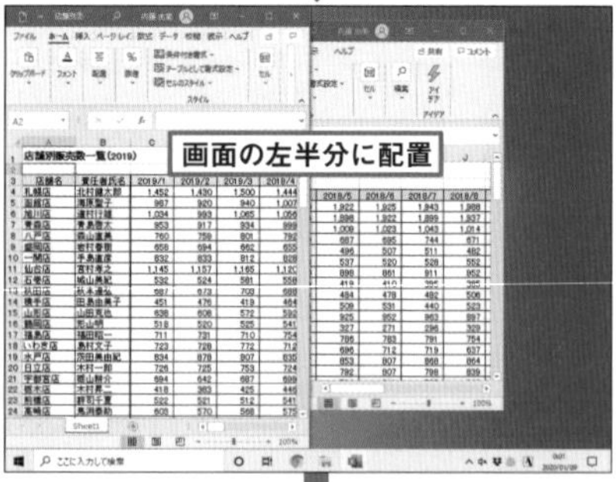

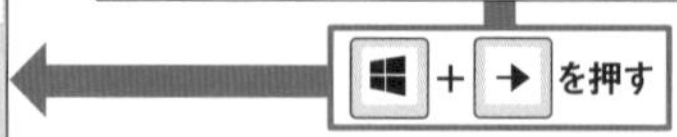

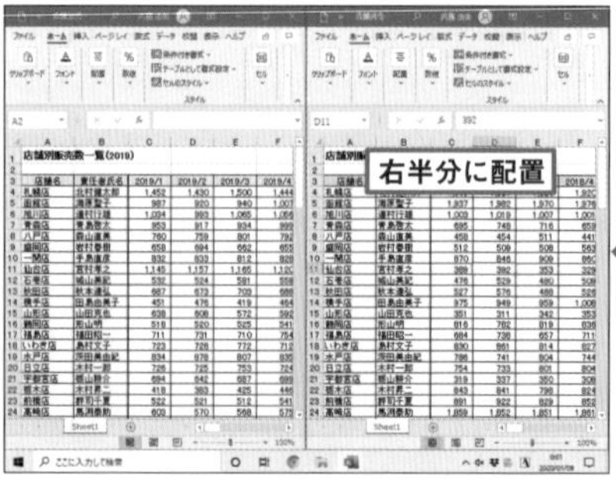

図3 もう1つのウインドウを最前面に表示し、「ウィンドウズ」キーを押しながら「→」(右矢印)キーを押す。右半分に配置され2つの画面を比較しやすくなる

お役立ち度 ★★★

最前面のウインドウ以外を最小化する

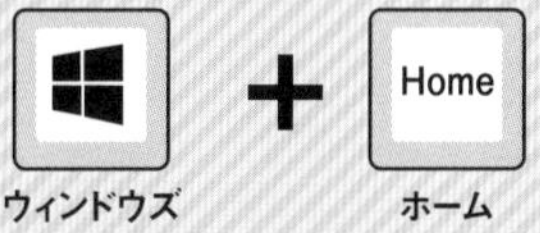

残したいウインドウを最前面に表示し、「ウィンドウズ」キーを押しながら、「Home」キーを押す

たくさんのウインドウを開いて作業していると、ほかのウインドウが邪魔になることがある。キー操作一発で、残したい最前面のウインドウ以外をまとめて最小化することができる。

それには、「ウィンドウズ」キーを押しながら、「Home」キーを押すだけでよい（**図1**）。これで、最前面に表示しているウインドウ以外がすべて最小化される（**図2**）。もう一度「ウィンドウズ」+「Home」キーを押すと、ウインドウをすべて元に戻せる。

「ウィンドウズ」+「Home」で必要なウインドウ以外を最小化!

図1 最前面のウインドウ以外をまとめて最小化するには、「ウィンドウズ」キーを押しながら「Home」キーを押す

図2 ほかのウインドウをすべて最小化できる。この状態で再度「ウィンドウズ」+「Home」キーを押すと、元の状態に戻せる

お役立ち度★★★ ウインドウを縦方向に最大化する

「ウィンドウズ」キーと「Shift」キーを押しながら「↑」(上矢印)キーを押す

ウインドウを、今開いている横幅のまま縦方向いっぱいに最大化させるには、縦方向に最大化したいウインドウを選択した状態で「ウィンドウズ」キーと「Shift」キーを押しながら「↑」(上矢印)キーを押せばよい（**図1、図2**）。

例えば、横16文字などの狭い幅で原稿を書いている場合など、上下だけを広げると横方向に無駄がない。縦に長いエディター画面をいくつも並べて参照するといった使い方もできる。

「ウィンドウズ」＋「Shift」＋「↑」で縦方向だけ最大化できる

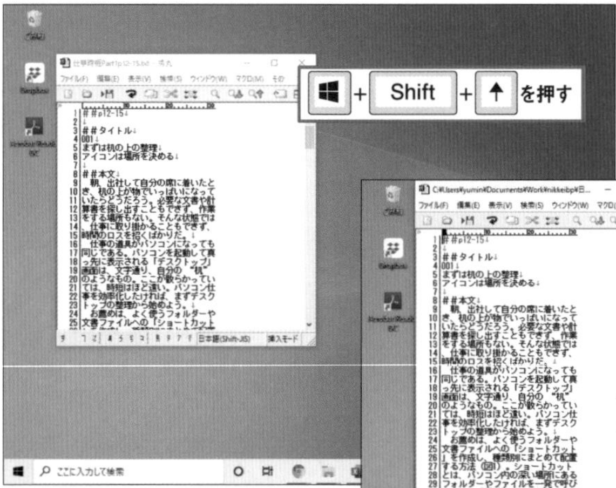

図1 縦方向に最大化したいウインドウを選択した状態で「ウィンドウズ」キーと「Shift」キーを押しながら「↑」キーを押す

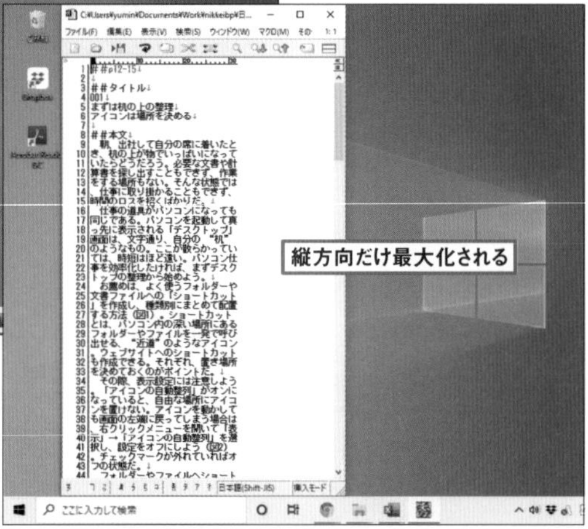

図2 横幅はそのままで縦方向だけ最大化される

お役立ち度 ★★★★★

別のウインドウへ表示を切り替える

「Alt」キーを押した状態で「Tab」キーを何度か押して、開きたいウインドウが選択された状態で指を離す

パソコンで作業する際は、フォルダーやブラウザーなど、複数のウインドウを表示することが多い。表示したいウインドウが完全に裏に隠れていると、切り替えが面倒だ。

こんなときは、キー操作が便利。「Alt」キーを押しながら「Tab」キーを押すと、ウインドウの一覧がサムネイルで表示される。目的のサムネイルが選択された状態で指を離すと、そのウインドウが最前面に表示される（**図1～図3**）。

「Alt」+「Tab」で最前面に表示したいウインドウを選べる

図1 「Alt」キーを押しながら「Tab」キーを押すと、現在開いているウインドウの一覧がサムネイルで表示される

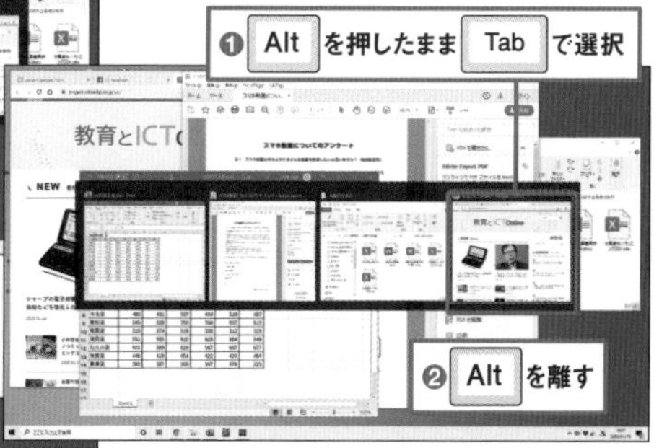

図2 「Alt」キーを押したまま「Tab」キーを何度か押して開きたいサムネイルを選択し（❶）、「Alt」キーから指を離す（❷）

図3 これで、そのウインドウが最前面に表示される

ウインドウを閉じる

お役立ち度★★★★★

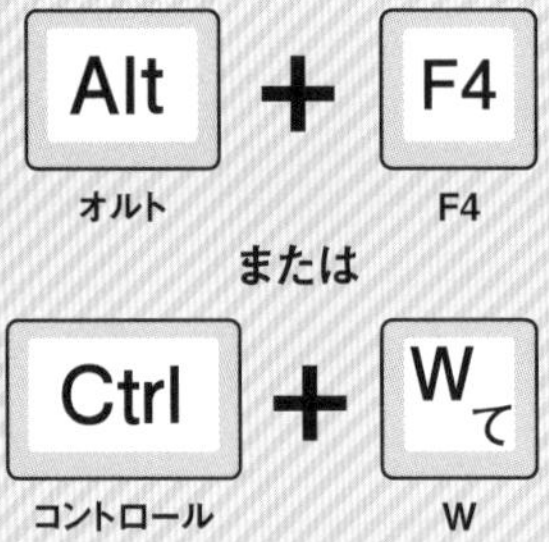

閉じたいウインドウを選択した状態で「Alt」キーを押しながら「F4」キー、または「Ctrl」+「W」キーを押す

ウインドウがたくさん開いていて邪魔になるなら、不要なものは閉じてすっきりさせよう。ウインドウを選択した状態で、「Alt」キーを押しながら「F4」キーを押せばそのウインドウが閉じる（**図1**）。「Ctrl」+「W」キーでも同じだ。

これは、エクセルやワードなどでも共通で利用できるショートカットキーだ。ただし、「Alt」+「F4」キーではアプリそのものまで終了できるが、「Ctrl」+「W」キーでは個々のウインドウが閉じるだけだ。

「Alt」+「F4」で一発終了!

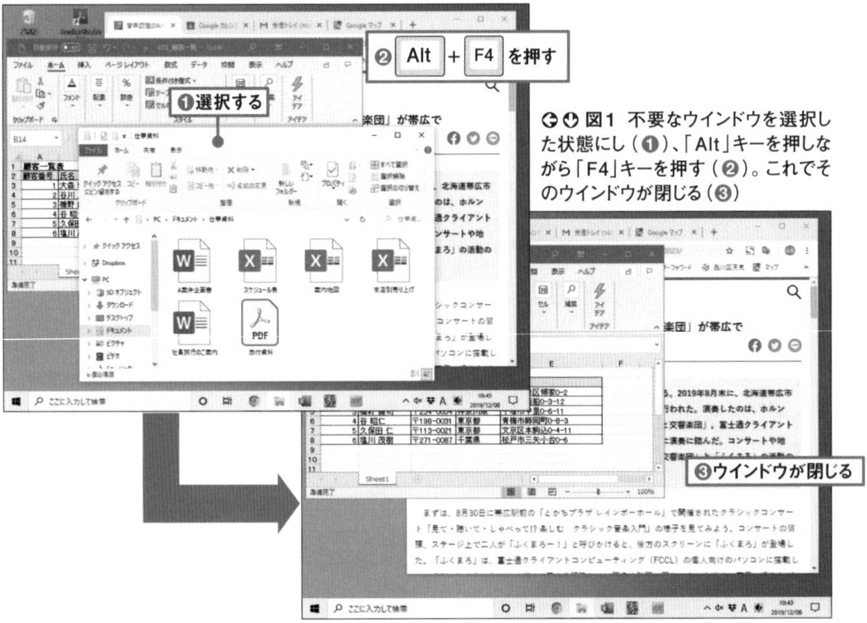

図1 不要なウインドウを選択した状態にし（❶）、「Alt」キーを押しながら「F4」キーを押す（❷）。これでそのウインドウが閉じる（❸）

アルベルト、フック4《よん》発《はつ》、幕《まく》閉《と》じる

Alt　F4　ウインドウを閉じる

Column ウィンドウズの終了も可能

「Alt」+「F4」キーは、パソコンでの作業を終了して電源を落としたいときにも活躍する。「Alt」+「F4」キーを繰り返し押せば、起動中のアプリを次々と終了できるからだ。すべてのアプリが終了した後、さらに「Alt」+「F4」キーを押せば、ウィンドウズを終了するためのダイアログが開く。この画面で「シャットダウン」が選ばれている状態なら、そのまま「Enter」キーを押すだけでシャットダウンできる。別の項目が選ばれている場合は、「↓」キーを押して「シャットダウン」を選んでから「Enter」キーを押せばよい。

ちなみに、ウェブ閲覧中に、余計な広告のウインドウが次々と開いて画面を埋め尽くされた経験はないだろうか。こうした悪質なサイトに遭遇した場合も、「Alt」+「F4」キーを連打すれば、ウインドウを次々と閉じて対抗することができる。

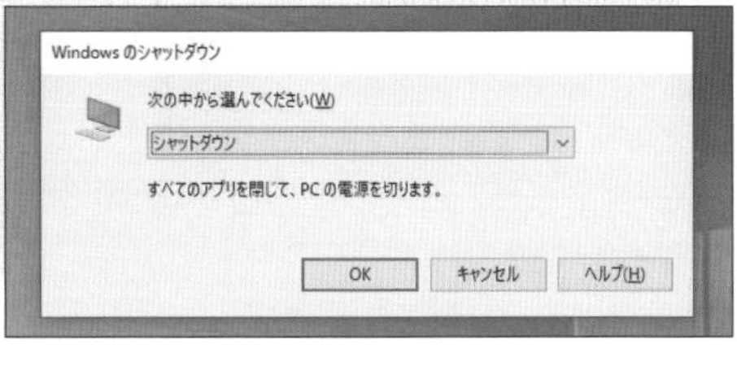

お役立ち度 ★★★★

「Windowsの設定」画面を開く

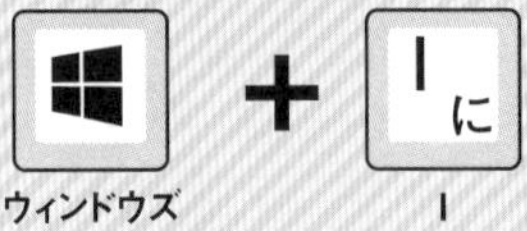

「ウィンドウズ」キーを押しながら「I」(アイ)キーを押す

ウィンドウズ10で、アカウントの設定や背景の変更など、さまざまな設定を行うのが「Windowsの設定」画面だ。スタートメニューにある歯車のボタンをクリックして起動するのが一般的だが、キー操作で開くこともできる。「ウィンドウズ」キーを押しながら「I」(アイ)キーを押せばよい(**図1、図2**)。「システム」などの項目をたどって必要な設定を探してもよいが、上部にある検索窓に設定の名前やキーワードを入力して探すことも可能だ。

「ウィンドウズ」+「I」で設定画面を素早く開く

図1 「ウィンドウズ」キーを押しながら「I」キーを押す

図2 設定画面が開く。検索窓にマウスカーソルがあるので、そのままキーワードを入力すると検索候補が表示される

お役立ち度 ★★★

ウインドウ一覧を表示する

「ウィンドウズ」キーを押しながら「Tab」キーを押す

47ページで紹介した「Alt」+「Tab」キーでは、画面中央にサムネイルが現れて、そこから目的のウインドウを選択した。

ここで紹介する「ウィンドウズ」+「Tab」キーでは、画面にウインドウ一覧が表示される(**図1、図2**)。矢印キーで目的のウインドウを選択して「Enter」キーを押せば、そのウインドウを最前面に表示できる。

ウィンドウズ10の「タイムライン」機能を利用していれば、そのタイムラインが一覧の下に表示される。

「ウィンドウズ」+「Tab」でウインドウ一覧を表示

図1 「ウィンドウズ」キーを押しながら「Tab」キーを押す

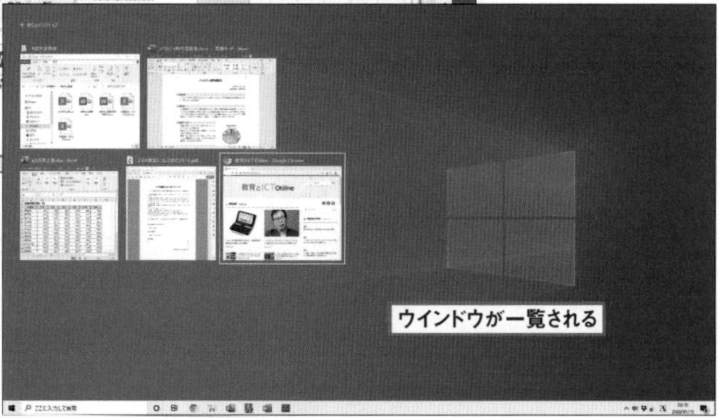

図2 ウインドウ一覧が表示される。矢印キーで選択し、「Enter」キーでそのウインドウを最前面に表示することができる

お役立ち度 ★★★★★

スタートメニューを開く

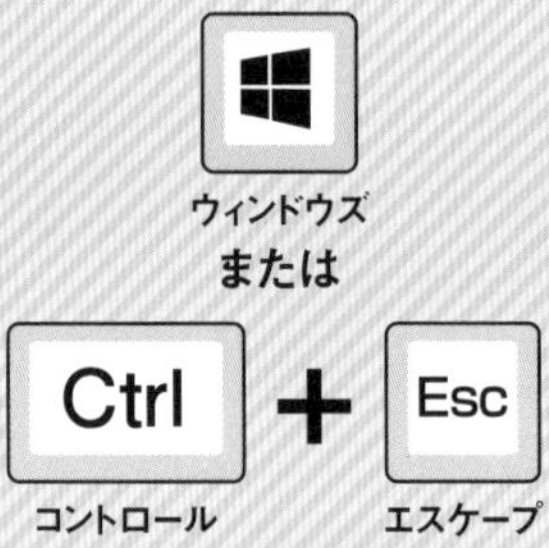

「ウィンドウズ」キー、または「Ctrl」+「Esc」キーを押すとメニューが開く

スタートメニューを表示するにはスタートボタンをクリックするほか、キーボードでも操作できる。「ウィンドウズ」キーを押すか、「Ctrl」キーを押しながら「Esc」キーを押す（**図1**）。

さらに、「↓」（下矢印）キーや「↑」（上矢印）キーでメニューをたどっていけるほか、「Tab」キーや「Shift」+「Tab」キーで、メニュー一覧とタイル領域を行き来できる。「Enter」キーを押せば、選択しているアプリケーションが開く。

マウスを使わず「ウィンドウズ」キーでスタートメニューを開く

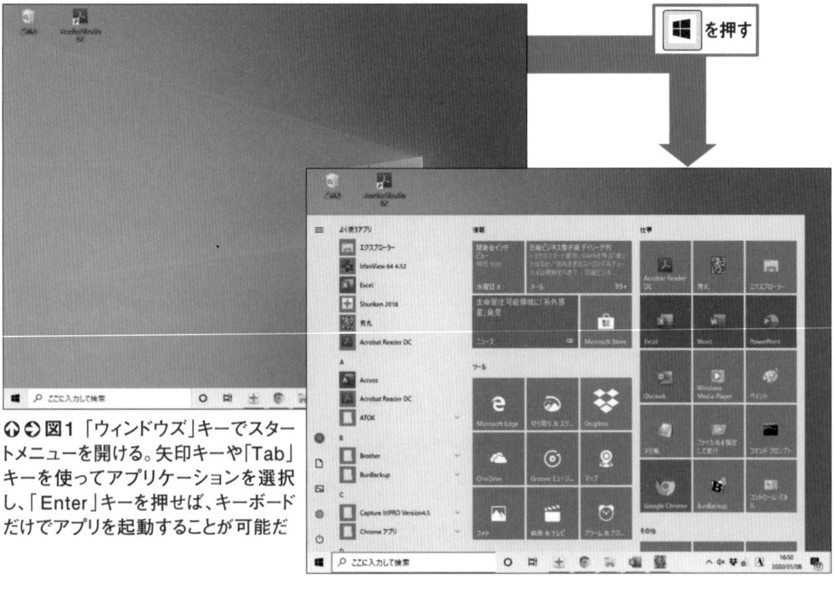

↑→**図1** 「ウィンドウズ」キーでスタートメニューを開ける。矢印キーや「Tab」キーを使ってアプリケーションを選択し、「Enter」キーを押せば、キーボードだけでアプリを起動することが可能だ

お役立ち度 ★★★

スタートボタンの右クリックメニューを表示する

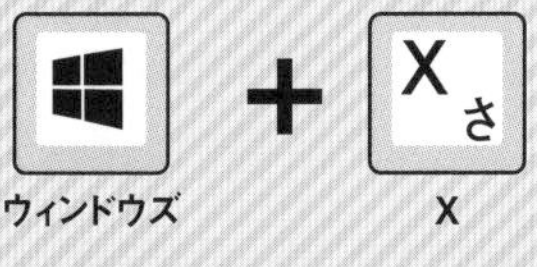

「ウィンドウズ」キーを押しながら「X」キーを押す

スタートボタンを右クリックすると、パソコンの設定を変更したり確認したりできる各種設定が並んだメニューが開く。これは、ショートカットキーでも実行が可能だ。「ウィンドウズ」キーを押しながら「X」キーを押すと同じメニューを表示できる（**図1**、**図2**）。「↑」（上矢印）キーや「↓」（下矢印）キーでメニューを選んで「Enter」キーで実行しよう。また、メニューの右横に書かれているアルファベットのキーを押してもそのメニューを実行可能だ。

「ウィンドウズ」＋「X」でスタートボタンの右クリックメニューが開く

図1 「ウィンドウズ」キーを押しながら「X」キーを押す

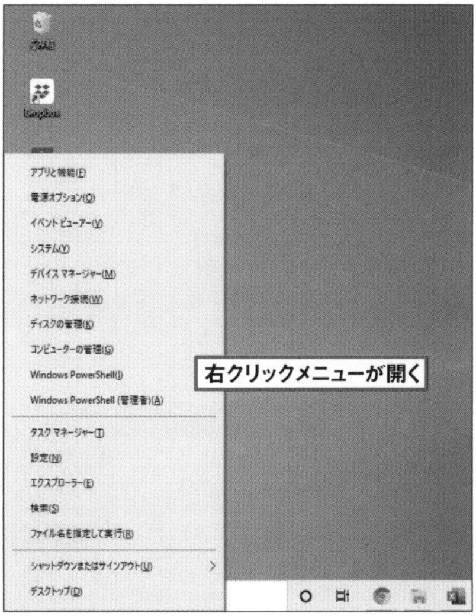

図2 スタートボタンを右クリックしたときに表示されるメニューが開く

お役立ち度 ★★★★★

タスクバーに登録したアプリを開く

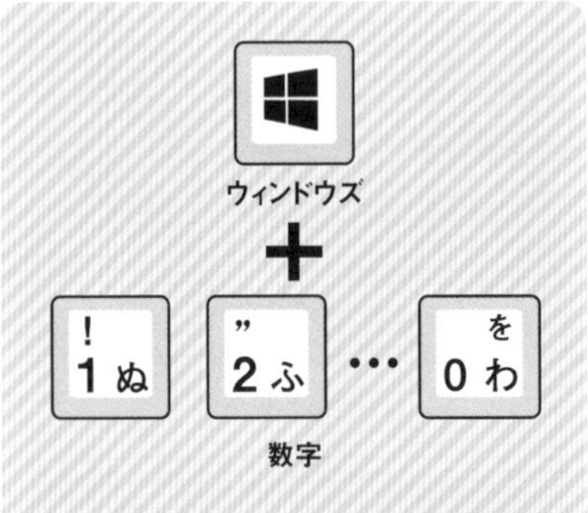

「ウィンドウズ」キーを押しながら、「1」「2」などの数字キーを押す。タスクバーの左から順に1、2、…と対応している

タスクバーは、現在開いているウインドウを表示するほか、アプリのアイコンを事前に登録しておくと、クリックするだけで起動できる仕掛けになっている。

このタスクバーに並んでいるアプリは、キー操作でも一発で開ける。「ウィンドウズ」キーを押しながら、アイコンを左から1、2、3、…と数えた順番に対応する数字キーを押せばよい（**図1、図2**）。コルタナやタスクビューのアイコンの次のアイコンを「1」と数え、テンキーは使えない。

「ウィンドウズ」＋数字キーでタスクバーに登録しているアプリを開ける

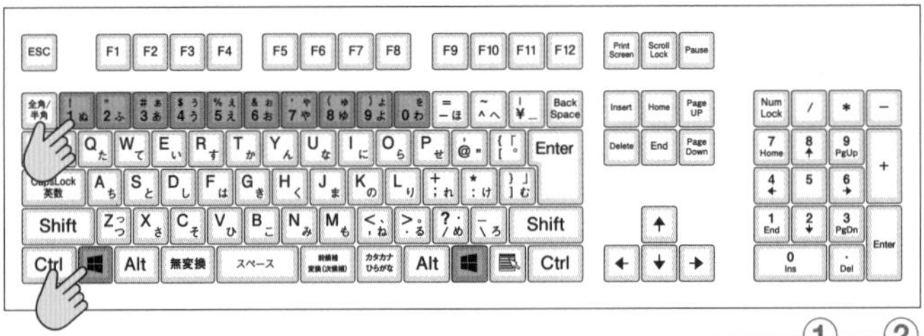

図1「ウィンドウズ」キーを押しながら、「1」「2」などの数字キーを押す

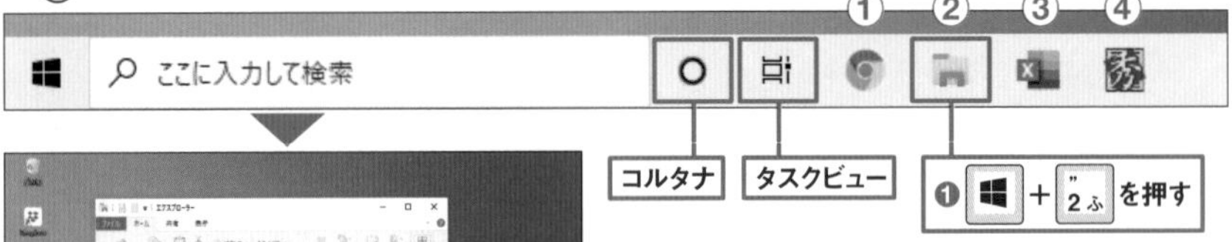

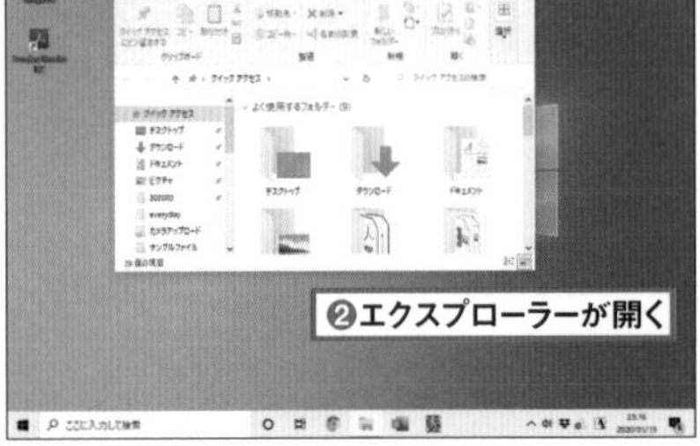

図2 数字キーは、コルタナとタスクビューのアイコンを除いて左から順に1、2、3、…と対応している。例えば、上図でエクスプローラーを開くには「ウィンドウズ」キーを押しながら「2」キーを押す（❶❷）

お役立ち度 ★★★

タスクバー上のアプリを順番に切り替える

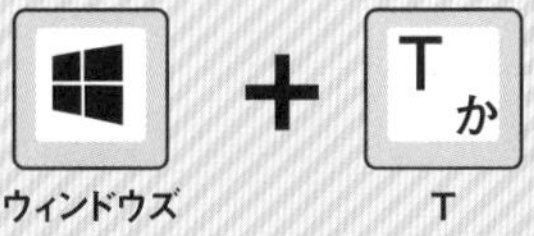

「ウィンドウズ」キーを押しながら、「T」キーを押す

左ページでは、「ウィンドウズ」キーと数字キーの組み合わせでタスクバーのアプリを直接起動する方法を説明した。

ここで紹介するのは、タスクバーに登録しているアプリを選択する方法だ。「ウィンドウズ」キーを押したまま「T」キーを押していくとタスクバー上の選択アプリが次々と右方向に移動する。目的のアプリが選択されたところで両方のキーから指を離し、「Enter」キーを押すとそのアプリが起動する（**図1**、**図2**）。

「ウィンドウズ」＋「T」でタスクバーの左から順にアプリを選択状態にできる

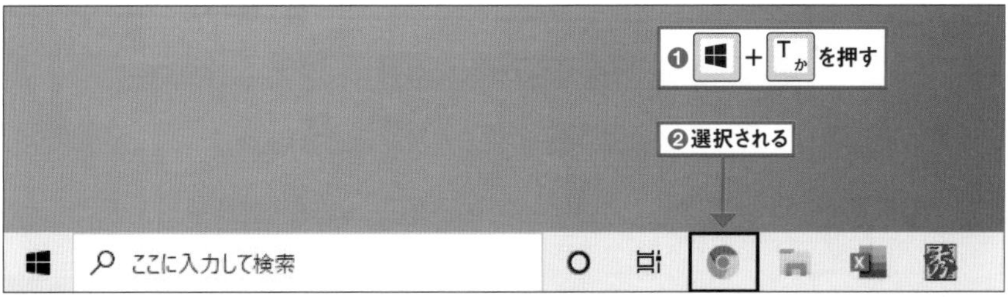

図1 「ウィンドウズ」キーを押しながら「T」キーを押すと（❶）、タスクビューアイコンを除く一番左のアプリが選択される（❷）。「ウィンドウズ」キーは押したまま「T」キーを押し直すと、そのたびに選択アプリが右に移動する

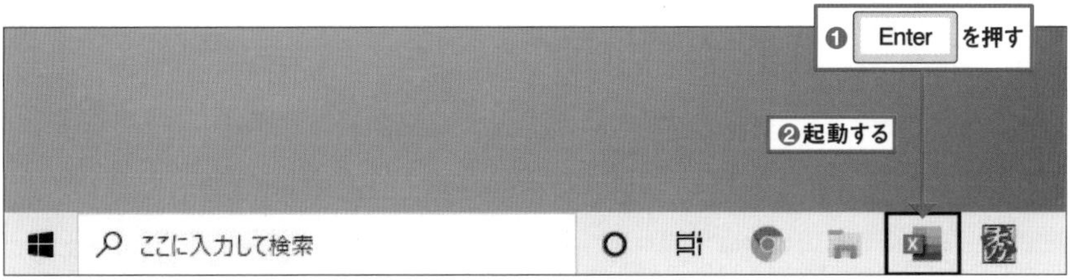

図2 目的のアプリが選択された状態で「Enter」キーを押すと（❶）、そのアプリが起動する（❷）

お役立ち度 ★★★★

ロック画面を表示する

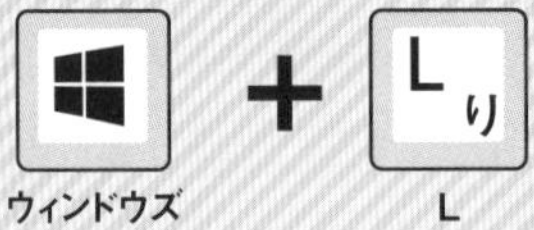

「ウィンドウズ」キーを押しながら「L」キーを押す。「Lock」の「L」と覚えよう

席を離れる際には、他人に画面を見られたり勝手に使われたりしないようにしたい。こんなときはロック画面を表示して、正しいパスワードを入力しないと利用できないようにしておこう。

「ウィンドウズ」キーを押しながら「L」キーを押すと、即座にロック画面に切り替わる（**図1**、**図2**）。また、「Ctrl」キーと「Alt」キーを押しながら「Delete」キーを押すと、ロック画面の表示のほか、サインアウトなども選べるメニューが現れる。

席を離れるときは「ウィンドウズ」＋「L」でロック画面に

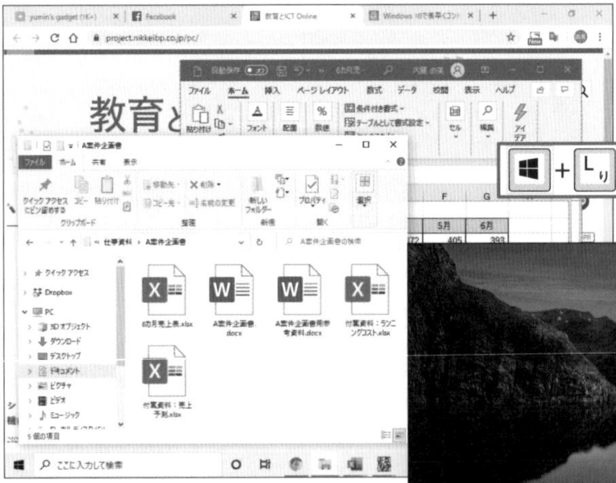

図1 パソコンをロックするには、「ウィンドウズ」キーを押しながら「L」キーを押す

図2 ロック画面に切り替わる。パスワードが設定済みなら、この画面で「Enter」キーを押すとパスワード入力画面が現れ、正しいパスワードを入力しないと元の画面には戻らない

窓《まど》閉《し》めて、ロック《Lock》でのぞき見《み》、防止《ぼうし》せよ

画面をロックする

Column パスワードの設定も忘れずに

「ウィンドウズ」キーを押しながら「L」キーを押すと、画面を「ロック画面」に切り替えて、作業中の内容を隠すことができる。ただし、ウィンドウズにサインインするためのパスワードを設定していない場合は、何かキーを押すことですぐにロック画面を解除して、中身を見られてしまうので注意が必要だ。パソコンを他人に勝手に使われないようにするには、ウィンドウズにパスワードを設定しておこう。

それには、スタートメニューの左端にある歯車のボタンを押して「設定」画面を開き、「アカウント」→「サインインオプション」とたどる。そこで「パスワード」を選んで「追加」をクリックし、設定すればよい。

お役立ち度 ★★★

「システム」画面を表示する

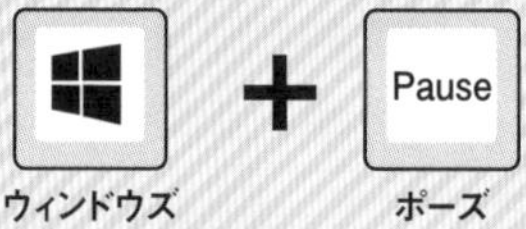

「ウィンドウズ」キーを押しながら、「Pause」（ポーズ）キーを押す

アプリのサポートセンターに電話をするときなどは、CPUの種類や搭載メモリー、ウィンドウズのエディションなどを伝える必要がある。

こんなときは「システム」画面で確認できるが、ウィンドウズ10では、システム画面を開くのは手間がかかる。そこで利用したいのがショートカットキー。「ウィンドウズ」キーを押しながら「Pause」キーを押すと、一発でシステム画面が開く（**図1**）。

■「ウィンドウズ」＋「Pause」なら一発でシステム画面を開ける

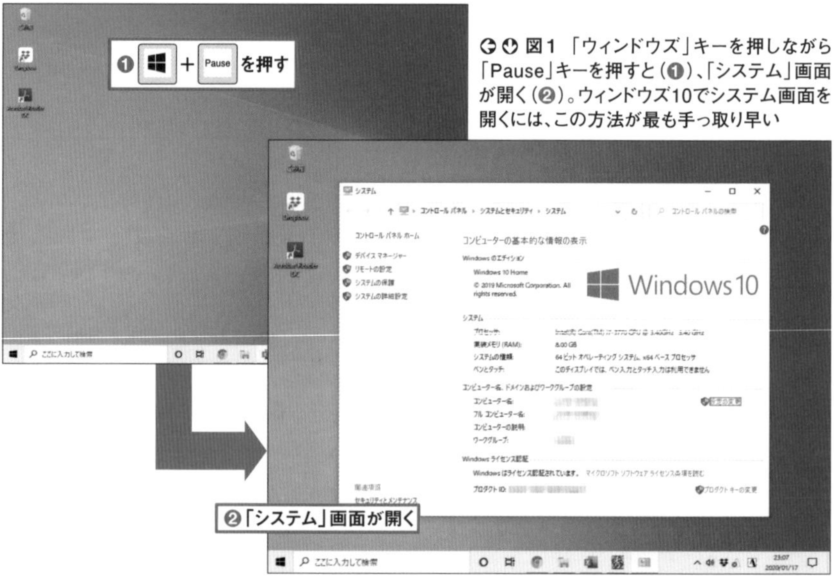

↩↓ 図1 「ウィンドウズ」キーを押しながら「Pause」キーを押すと（❶）、「システム」画面が開く（❷）。ウィンドウズ10でシステム画面を開くには、この方法が最も手っ取り早い

お役立ち度★★★★★

右クリックメニューを表示する

「Shift」キーを押しながら「F10」キーを押す

「Shift」キーを押しながら「F10」キーを押すと、右クリックメニューをキー操作で開くことができる。

例えばデスクトップ画面で押すと、「ディスプレイ設定」や「個人用設定」などのメニューが開く（**図1**）。エクスプローラーでファイルが選択された状態でこのキーを押すと、「切り取り」や「コピー」「削除」などの右クリックメニューが開く（**図2**）。このキー操作は、エクセルやワードなどでも同様に利用できる。

「Shift」+「F10」で右クリックメニューが開く

図1 デスクトップ画面上で「Shift」+「F10」キーを押すと、「ディスプレイ設定」などの右クリックメニューが開く（❶❷）

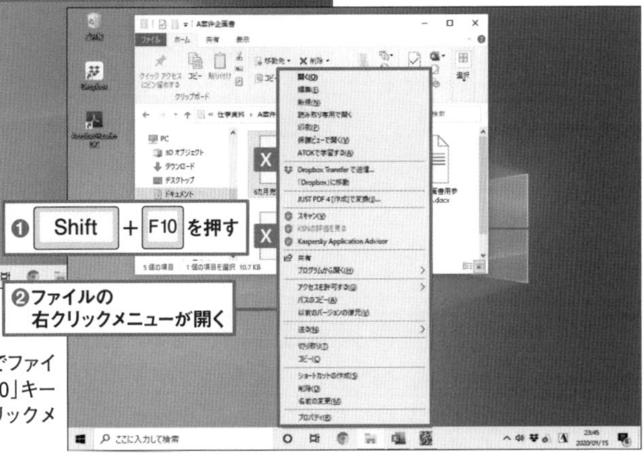

図2 エクスプローラー上でファイルを選択して「Shift」+「F10」キーを押すと、ファイルの右クリックメニューが開く（❶❷）

お役立ち度 ★★★

絵文字パネルを開く

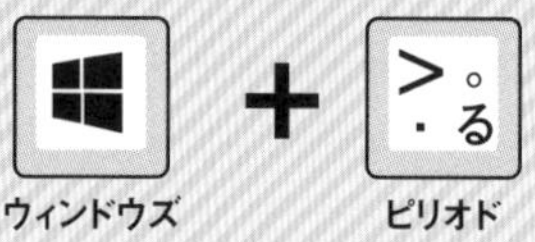

「ウィンドウズ」キーを押しながら「.」(ピリオド)キーを押す

SNSに投稿するときなどには、絵文字や顔文字を使うことも多いだろう。それぞれのアプリでも独自の絵文字などを用意していることが多いが、ウィンドウズの機能としても多数用意されている。

「ウィンドウズ」キーを押しながら「.」(ピリオド)キーを押すと、絵文字パネルが開く(**図1**)。「,」(カンマ)の右にある「る」のキーだ。絵文字は6種類のカテゴリーがあり、さらに絵文字だけでなく、顔文字や記号も選べる(**図2**)。

「ウィンドウズ」+「.」で絵文字がすぐ入力できる

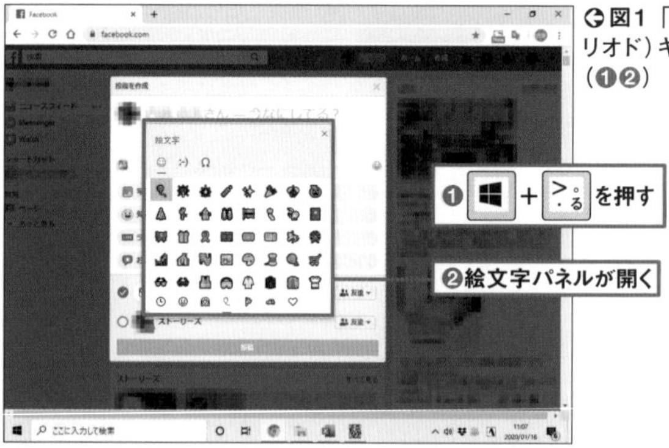

図1 「ウィンドウズ」キーを押しながら「.」(ピリオド)キーを押すと、絵文字パネルが開く(❶❷)

図2 上部のボタンで一覧を切り替え、絵文字、顔文字、記号が入力できる

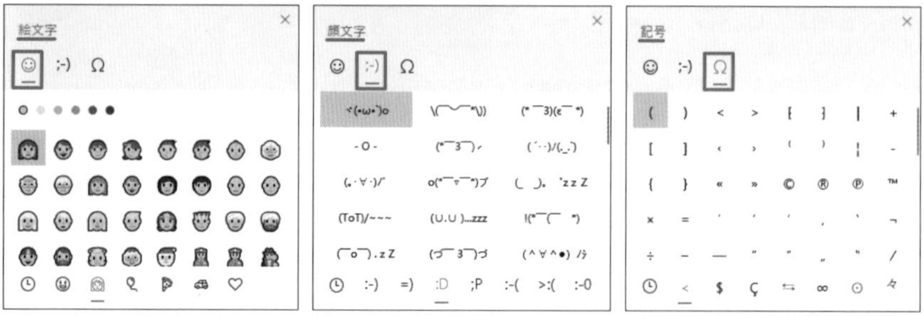

お役立ち度 ★★★

タスクマネージャーを起動する

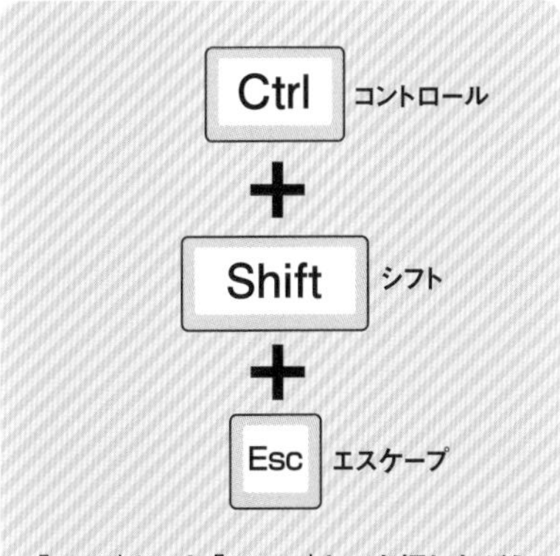

「Ctrl」キーと「Shift」キーを押しながら「Esc」キーを押す

タスクマネージャーでは、アプリを選択して強制終了したり、CPUやメモリーの使用率・使用量を確認したりできる。

タスクバーを右クリックして、開くメニューから「タスクマネージャー」を選ぶと起動できるが、一発でタスクマネージャーを直接開くキー操作もある。

「Ctrl」キーと「Shift」キーを押しながら「Esc」キーを押すと、タスクマネージャーが起動する（**図1**）。

■「Ctrl」＋「Shift」＋「Esc」でタスクマネージャーを一発表示!

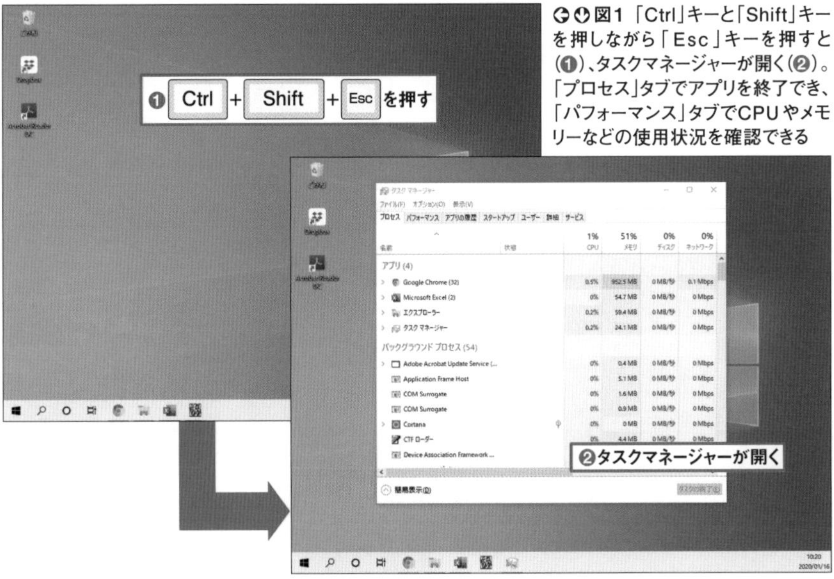

←↓**図1** 「Ctrl」キーと「Shift」キーを押しながら「Esc」キーを押すと（❶）、タスクマネージャーが開く（❷）。「プロセス」タブでアプリを終了でき、「パフォーマンス」タブでCPUやメモリーなどの使用状況を確認できる

お役立ち度 ★★★★

強制終了や再起動ができる画面を表示する

「Ctrl」キーと「Alt」キーを押しながら「Delete」キーを押す

「Ctrl」+「Alt」+「Delete」キーといえば、以前はパソコンがフリーズしたときなどに強制終了したり再起動したりするために使っていたキー操作だ。

現在では、ユーザーの切り替えやサインアウトなどが選択できる画面が表示される（**図1、図2**）。もちろん、現在もこの画面からパソコンを終了させることが可能。フリーズしてもこの画面は表示できるので、電源アイコンを選択してシャットダウンまたは再起動を選べばよい。

■フリーズしても「Ctrl」+「Alt」+「Delete」で強制終了や再起動ができる

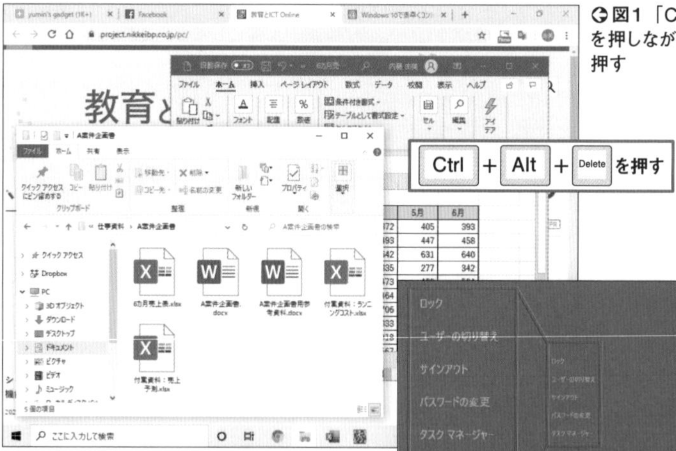

図1 「Ctrl」キーと「Alt」キーを押しながら「Delete」キーを押す

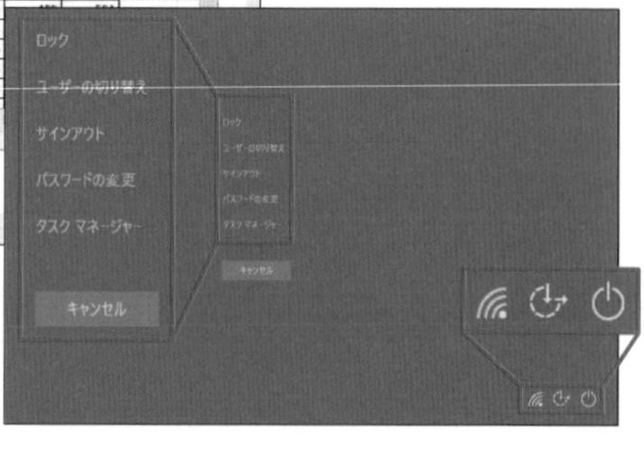

図2 メニューでユーザーの切り替えやサインアウトなどができる。右下にある電源アイコンを選択すればシャットダウンや再起動も可能。マウスが使えない場合は、「Tab」キーや矢印キーで選択項目を移動していける

根《こん》気《き》さえ、あれば出《で》る出《で》る、青《あお》い画面《がめん》

Ctrl　Alt　Delete　**青いメニューの画面を開く**

Column　なぜ「Ctrl」+「Alt」+「Delete」キー？

「Ctrl」+「Alt」+「Delete」は、とても押しにくいショートカットキーだ。それもそのはず、これらのキーは、あえて押しにくい組み合わせとして考案された経緯がある。

このキーが最初に使われたのは、1980年代の「IBM PC」。プログラムが誤動作を起こしたとき、素早く電源を落として再起動できるようなボタンを実装することになったのだが、あまりに簡単なボタンにすると、誤って押してしまう恐れがある。そこで、両手を使わないと押せないように、離れた場所にある「Ctrl」+「Alt」+「Delete」キーという組み合わせを考えたのだという（写真）。現在では片手で押せるキーボードもあるが、押しにくさは変わらない。

IBM PCのキーボード

お役立ち度 ★★★

日付と時刻のパネルを表示する

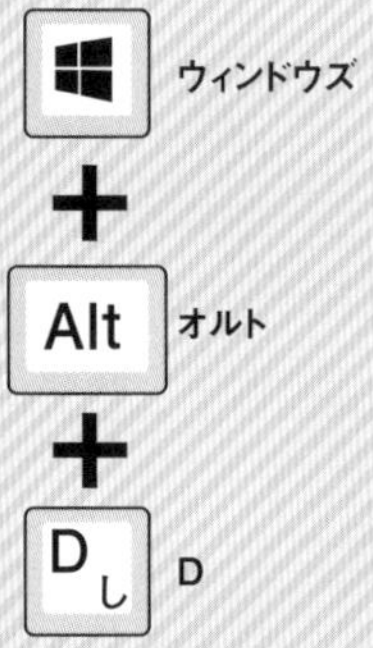

「ウィンドウズ」キーと「Alt」キーを押しながら「D」キーを押す

パソコンで作業中、日付や時刻、予定を確認したくなることがある。今日の日付と時刻だけならタスクバーの右端にも表示されているが、小さくて見にくい。

そんなときは「ウィンドウズ」キーと「Alt」キーを押しながら「D」キーを押すと、日付と時刻のパネルが表示できる（**図1**）。このパネルは、月カレンダーで日にちを確認できるだけでなく、「カレンダー」アプリに登録した今日の予定も確認できる。もう一度同じキーを押すと非表示になる。

「ウィンドウズ」＋「Alt」＋「D」で今日の予定を確認！

➲ **図1** 「ウィンドウズ」キーと「Alt」キーを押しながら「D」キーを押すと（❶）、日付と時刻のパネルが開く（❷）。今日のスケジュールも確認できるので便利だ

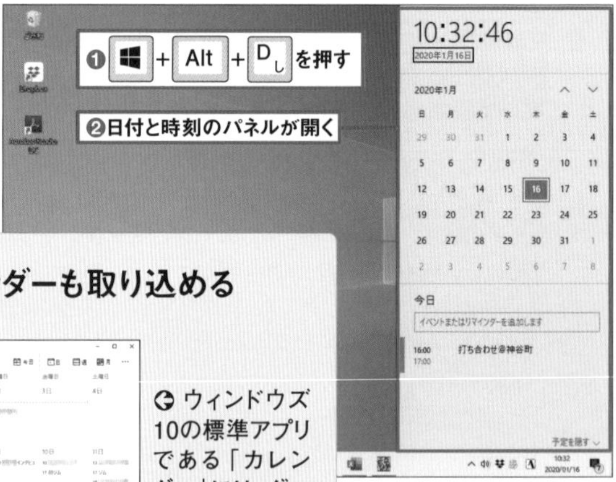

Check! グーグルカレンダーも取り込める

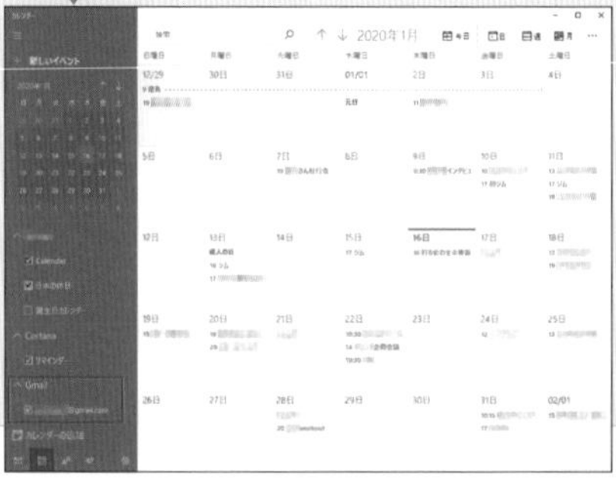

➲ ウィンドウズ10の標準アプリである「カレンダー」には、グーグルカレンダーも取り込んで表示できる

お役立ち度 ★★★

アクションセンターを開く

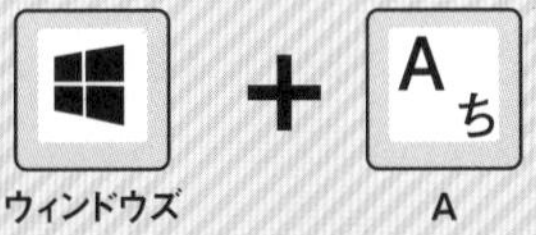

「ウィンドウズ」キーを押しながら、「Ａ」キーを押す。「Action Center」（アクションセンター）の「A」と覚えておこう

更新プログラムのインストール状況やメールの着信など、システムやアプリからの通知をまとめて表示するのが「アクションセンター」。タブレットモードへの切り替えなども、ここからできる。

タスクバーのアイコンをクリックしたり、タッチ対応のパソコンなら画面の右端を内側にスライドさせたりしても開けるが、キー操作なら「ウィンドウズ」キーを押しながら「Ａ」キーを押せば一発で開くことが可能だ（**図1**）。

■「ウィンドウズ」＋「A」でメール着信などの通知を即座に確認

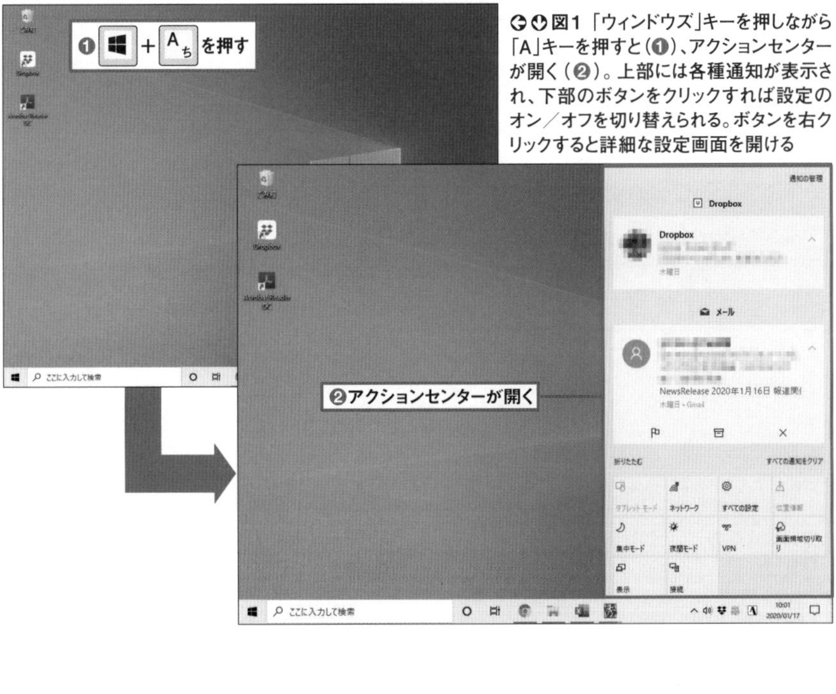

←↓図1 「ウィンドウズ」キーを押しながら「A」キーを押すと（❶）、アクションセンターが開く（❷）。上部には各種通知が表示され、下部のボタンをクリックすれば設定のオン／オフを切り替えられる。ボタンを右クリックすると詳細な設定画面を開ける

お役立ち度 ★★★

通知領域にフォーカスを移動させる

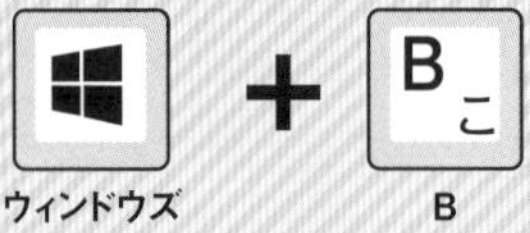

「ウィンドウズ」キーを押しながら、「B」キーを押す

常駐アプリの状態をチェックする際など、通知領域にあるアイコンを操作したいことはよくある。こんなとき、「ウィンドウズ」キーを押しながら「B」キーを押すと、通知領域にフォーカスを移動させることができる（**図1**）。「∧」にフォーカスが移ったら、「Enter」キーを押すと、表示されていないアイコンも確認できる（**図2**）。あとは矢印キーで目的のアイコンを選び、「Enter」キーを押すと音量を調節したり内容を表示したりできる。

「ウィンドウズ」＋「B」で通知領域のアイコンにアクセスできる

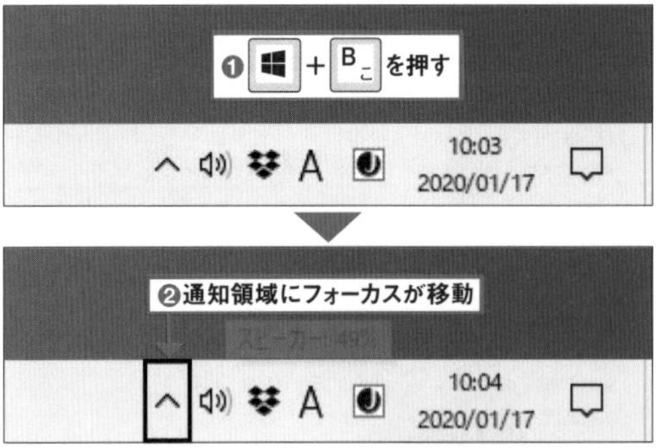

図1　「ウィンドウズ」キーを押しながら「B」キーを押すと（❶）、通知領域にフォーカスが移動する（❷）

図2　「∧」にフォーカスが移ったところで「Enter」キーを押すと（❶）、見えなかったアイコンも表示される（❷）

お役立ち度 ★★★

タスクバーの検索ボックスをアクティブにする

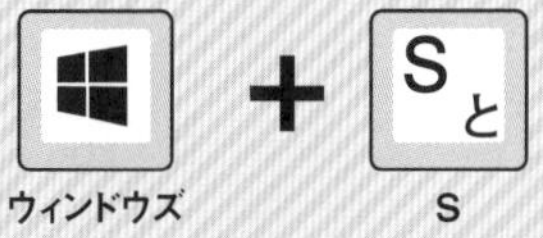

「ウィンドウズ」キーを押しながら、「S」キーを押す。「Search」(探す)の「S」と覚えておこう

タスクバーにある検索ボックスをクリックすると検索できるが、どうせ入力するなら、検索ボックスを選択するのもキー操作でやったほうが効率が良い。

「ウィンドウズ」キーを押しながら「S」キーを押すと、検索ボックスがアクティブになり、入力できる状態になる(**図1**)。最近使ったアプリや最近開いたファイルの一覧も表示されるので、上下矢印キーで選択し、「Enter」キーを押すと、起動することも可能だ。

「ウィンドウズ」+「S」ですぐに検索ができる!

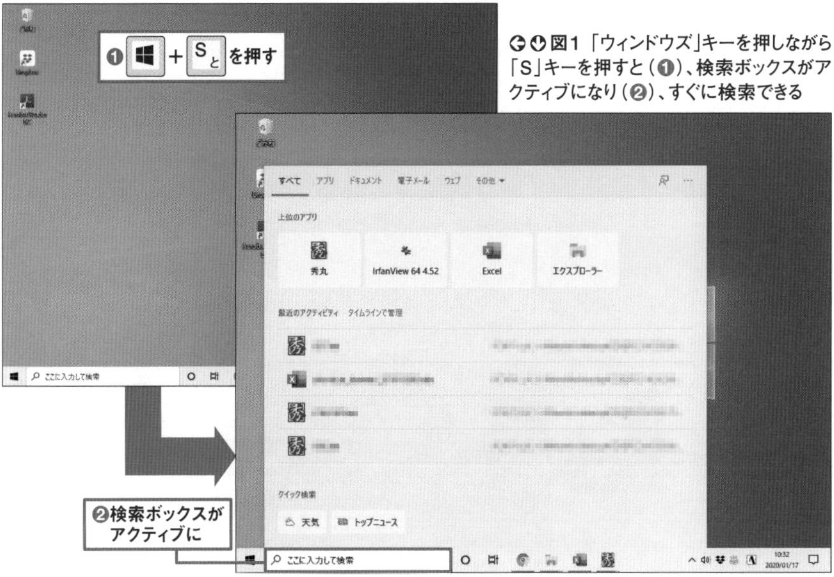

←↓**図1** 「ウィンドウズ」キーを押しながら「S」キーを押すと(❶)、検索ボックスがアクティブになり(❷)、すぐに検索できる

お役立ち度 ★★★★

画面の表示モードを選択する

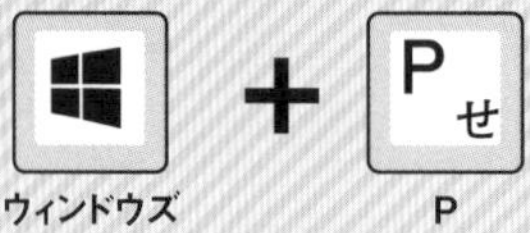

「ウィンドウズ」キーを押しながら、「P」キーを押す

プレゼンをするために外部ディスプレイとしてプロジェクターを接続している場合などに、画面の表示モードを素早く切り替えたいことがある。

そんなときは「ウィンドウズ」キーを押しながら「P」キーを押そう。すると画面の表示モードを選択する画面が表示される（**図1**）。ここで「複製」を選べば、手元のパソコンと外部ディスプレイに同じ画面を表示できる。プレゼンの機会が多い人はぜひ覚えておきたい。

プレゼン時も安心！「ウィンドウズ」＋「P」で画面モードを選択できる

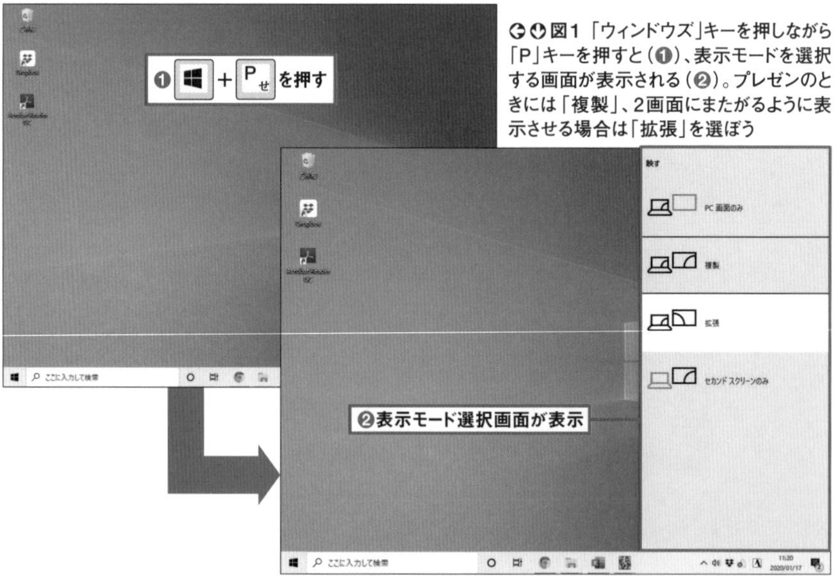

←↓図1「ウィンドウズ」キーを押しながら「P」キーを押すと（❶）、表示モードを選択する画面が表示される（❷）。プレゼンのときには「複製」、2画面にまたがるように表示させる場合は「拡張」を選ぼう

窓《まど》閉《し》めて、プレゼンテーション、始《はじ》めよう

［⊞］［P せ］　画面の出力先切り替え

Column 「Ctrl」＋「P」キーは「印刷」

プロジェクターに画面を出力したいときは、「ウィンドウズ」＋「P」キーを押して「複製」を選べばよい。「プロジェクター（projecter）」の「P」と覚えればよいだろう。

一方、間違えやすいのは「Ctrl」＋「P」というショートカットキー。こちらは「印刷」するためのショートカットキーで、「プリント（print）」の「P」を意味するキーとなる。「Ctrl」＋「P」キーは多くのアプリで共通して利用できるので、覚えておくと便利だ（140、160ページ参照）。

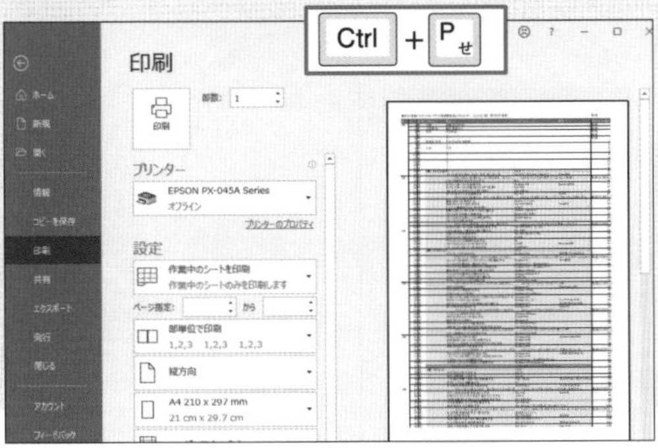

お役立ち度 ★★★

クリップボードの履歴を表示する

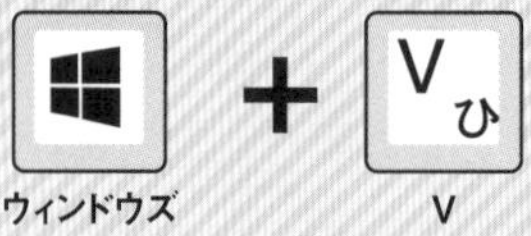

「ウィンドウズ」キーを押しながら、「V」キーを押す

通常、クリップボードに格納できるデータは1つだけ。「Ctrl」+「V」キーで貼り付けられるデータは、直前に切り取ったりコピーしたりしたデータのみだ。

しかし、「ウィンドウズ」キーを押しながら「V」キーを押すと、これまでにコピーした履歴が表示され、クリップボードに格納したデータを遡って利用できる（**図1**）。

なお、初めて「ウィンドウズ」+「V」キーを押したときに、この機能を有効にする必要がある（**図2**）。

「ウィンドウズ」＋「V」でコピー履歴を活用できる

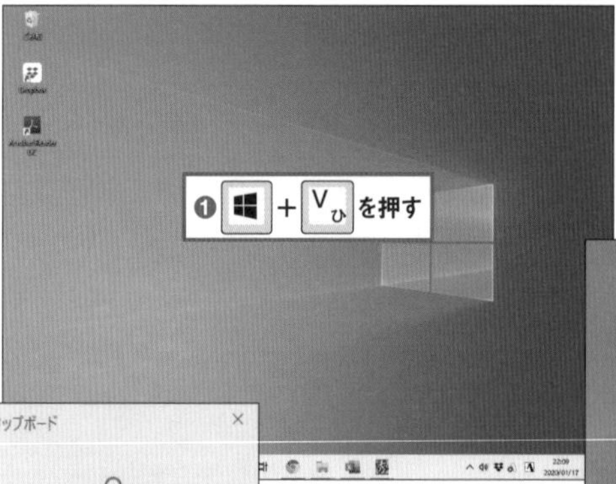

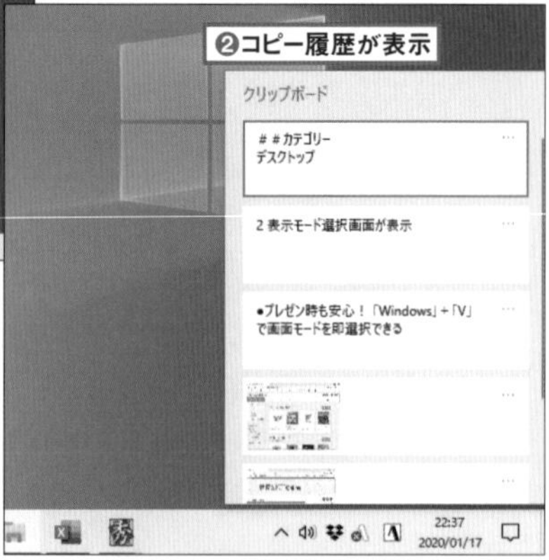

図1 「ウィンドウズ」キーを押しながら「V」キーを押すと（❶）、これまで切り取ったりコピーしたりしたデータの履歴が表示される（❷）。一覧からデータを選んでクリックしよう。すると貼り付けて利用できる。一覧をクリックした後でアプリを切り替えて、「Ctrl」＋「V」キーで貼り付けることもできる

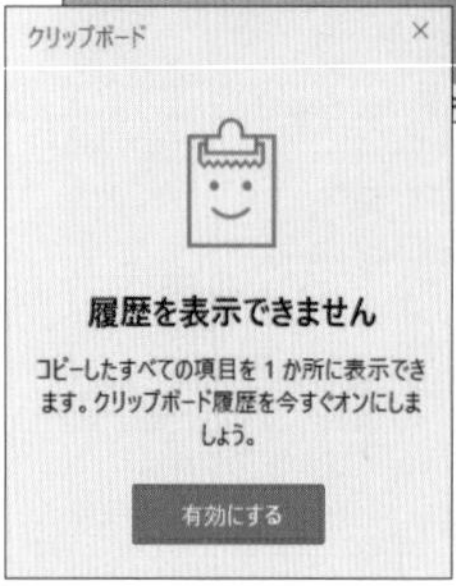

図2 初回だけこの画面が表示されるので、「有効にする」をクリックする。「設定」→「システム」→「クリップボード」の「クリップボードの履歴」でも有効／無効の切り替えが可能だ

「ファイル名を指定して実行」画面を表示する

お役立ち度 ★★★★★

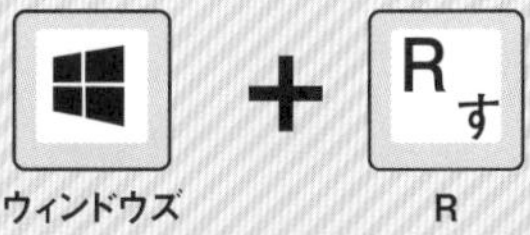

「ウィンドウズ」キーを押しながら、「R」キーを押す

「ウィンドウズ」キーを押しながら「R」キーを押すと、「ファイル名を指定して実行」ダイアログボックスを開くことができる(**図1**)。実行したいプログラム名を直接入力して「Enter」キーを押すと、指定したプログラムが起動する。

例えば、「ファイル名を指定して実行」ダイアログボックスの「名前」欄に「excel」と入力するとエクセルが、「winword」と入力するとワードが、「notepad」と入力するとメモ帳がそれぞれ起動する。

「ウィンドウズ」+「R」で直接プログラムを実行できる

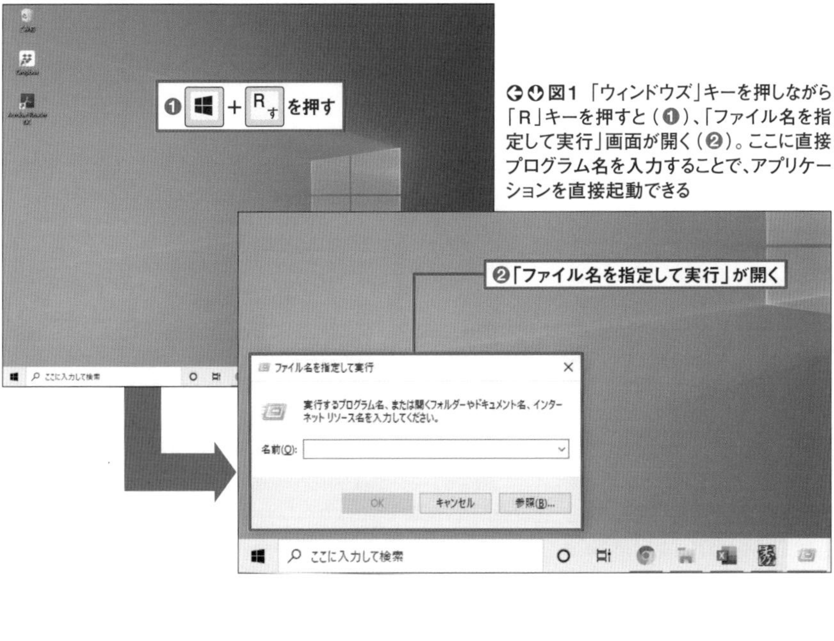

図1 「ウィンドウズ」キーを押しながら「R」キーを押すと(❶)、「ファイル名を指定して実行」画面が開く(❷)。ここに直接プログラム名を入力することで、アプリケーションを直接起動できる

お役立ち度 ★★★★

スクリーンショットを撮影する

「PrintScreen」キーを押すと、スクリーンショットを撮影

画面のスクリーンショットを撮影するには「PrintScreen」キーを押す。すると画面全体をキャプチャー（撮影）できる。データはクリップボードに格納されるので、ペイントなどに貼り付けて利用する（**図1**）。

また「Alt」キーを押しながら「Print Screen」キーを押すと、選択されているウインドウだけをキャプチャーできる（**図2**）。目的のウインドウやダイアログボックスだけをキャプチャーしたいときなどにはこちらを使おう。

「PrintScreen」で画面をキャプチャーできる

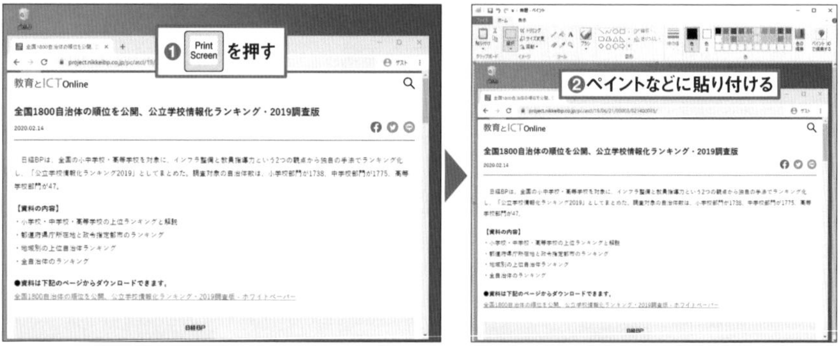

↑ 図1 「PrintScreen」キーを押すと、画面全体のスクリーンショットを撮影でき、ペイントなどに貼り付けられる（❶❷）。ノートパソコンなどは「PrtSc」などと表記されている場合もある

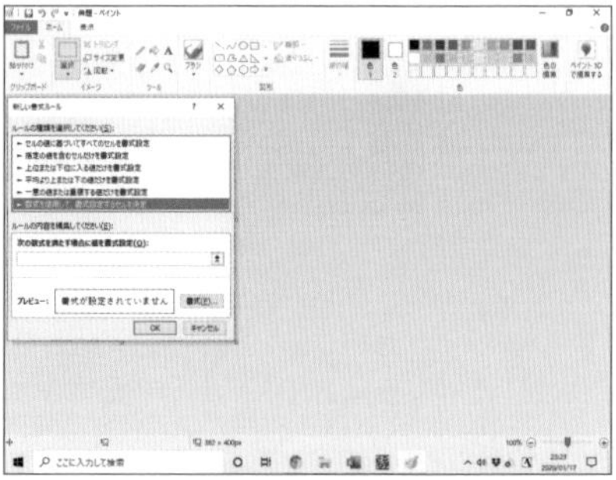

→ 図2 「Alt」キーを押しながら「PrintScreen」キーを押すと、選択しているウインドウのスクリーンショットを撮影できる

お役立ち度 ★★★★

スクリーンショットを撮影して保存する

「ウィンドウズ」キーを押しながら「Print Screen」キーを押す

左ページで紹介した「PrintScreen」キーおよび「Alt」+「PrintScreen」キーは、クリップボードに格納されるだけで、画像として保存するのは手作業だ。

「ウィンドウズ」キーを押しながら「PrintScreen」キーを押すと、全画面のスクリーンショットを撮影し、自動で保存もしてくれる（**図1**）。

保存先は「ピクチャ」の中の「スクリーンショット」フォルダー。PNG形式で、自動的に連番が振られて保存される。

■「ウィンドウズ」+「PrintScreen」でスクショを自動保存できる

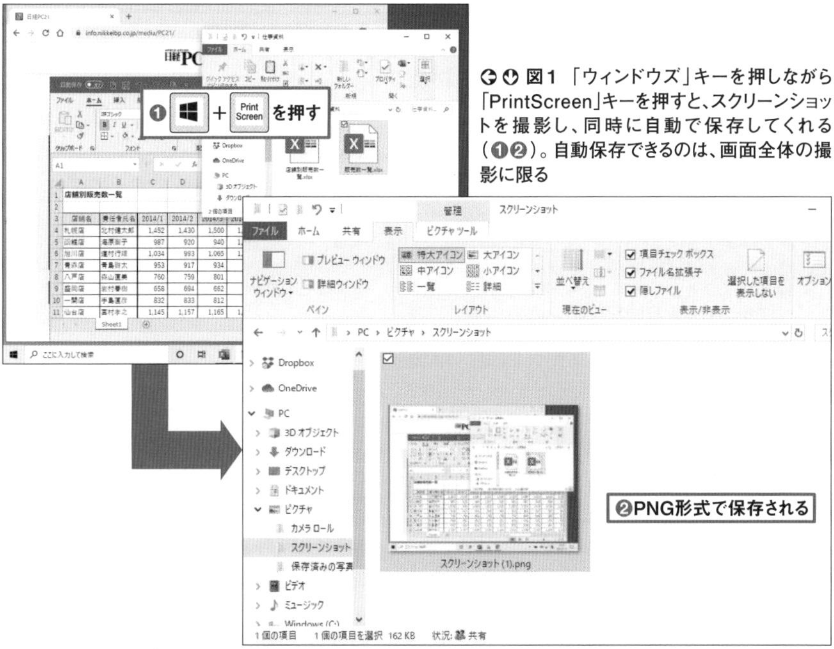

⊖⊕ 図1 「ウィンドウズ」キーを押しながら「PrintScreen」キーを押すと、スクリーンショットを撮影し、同時に自動で保存してくれる（❶❷）。自動保存できるのは、画面全体の撮影に限る

「Shift」を組み合わせると「逆」になる

ワンポイント

「Shift」キーは、ショートカットキーに加えることで「逆」の動作をする役割を果たすことが多い。

例えば、「Ctrl」+「Tab」キーでブラウザーなどのタブを右方向に切り替えるが、「Shift」キーを追加すると、左方向に切り替えられる（**図1**）。エクセルでは、「Tab」キーで右方向にセルを移動できるが、「Shift」+「Tab」キーなら左方向に移動する（**図2**）。

また、ワードでは、「Ctrl」+「M」キーでインデントを設定でき、「Ctrl」+「Shift」+「M」キーを押すと、設定したインデントを解除できる（**図3**）。

●タブを切り替える

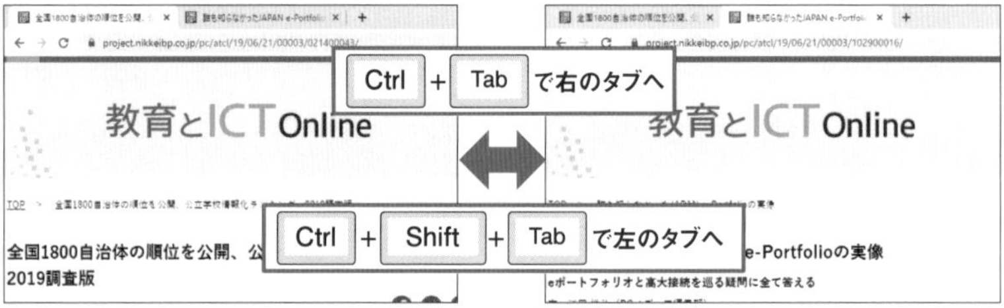

図1 ブラウザーで複数のタブを切り替えるとき、「Ctrl」キーを押しながら「Tab」キーを押すと右のタブに移動するが、それに「Shift」キーを加えると、左のタブに移動する

●エクセルでセルを横方向に移動する

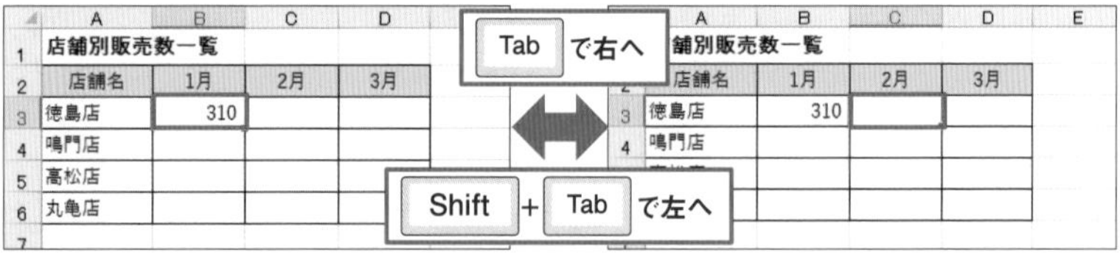

図2 エクセルで右のセルに移動するには「Tab」キーを押すが、逆に左のセルに移動したい場合は「Shift」キーを押しながら「Tab」キーを押す

●ワードでインデントを設定（解除）する

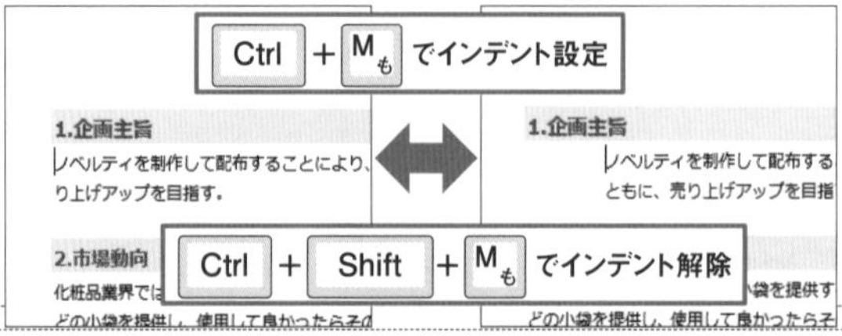

図3 ワードでインデントを設定するには「Ctrl」キーを押しながら「M」キーを押す。「Shift」キーを加えて「Ctrl」+「Shift」+「M」キーだとインデントを解除できる

3章

エクセル

エクセルでは、とにかく「セルの移動」を
どれだけスムーズにできるかが
時短への近道。
巨大な表の右下隅のセルに一気にジャンプしたり、
表全体を選択したりと、
達人になるにはショートカットキーが不可欠だ。

お役立ち度 ★★★★

今日の日付を入力する

今日の日付を入力したいセルを選択して、「Ctrl」キーを押しながら「;」（セミコロン）キーを押す

日報や請求書などを作成する際は、今日の日付を入力することが多い。実は、これをキー操作一発で入力するワザがある。覚えておくと便利だ。

操作は簡単で、セルを選択し、「Ctrl」キーを押しながら「;」（セミコロン）キーを押す（**図1、図2**）。パソコン内部で管理している日付情報を使って、今日の日付を自動入力する仕組みだ。パソコンの日付が間違っていると正しい日付が入力できないので注意しよう。

「Ctrl」+「;」で今日の日付を一発入力!

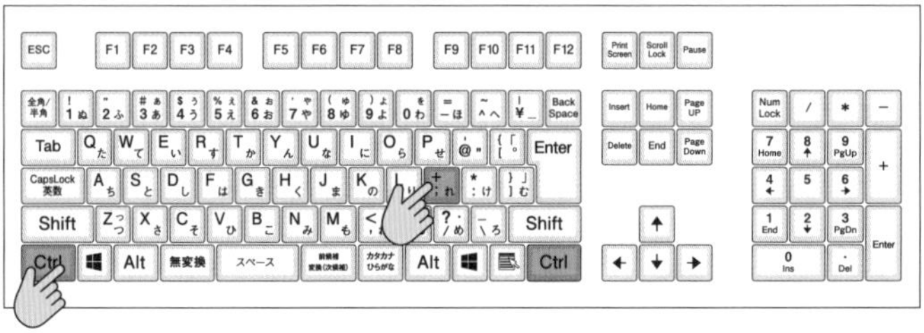

図1「;」（セミコロン）は、ひらがなの「れ」が書かれているキーだ

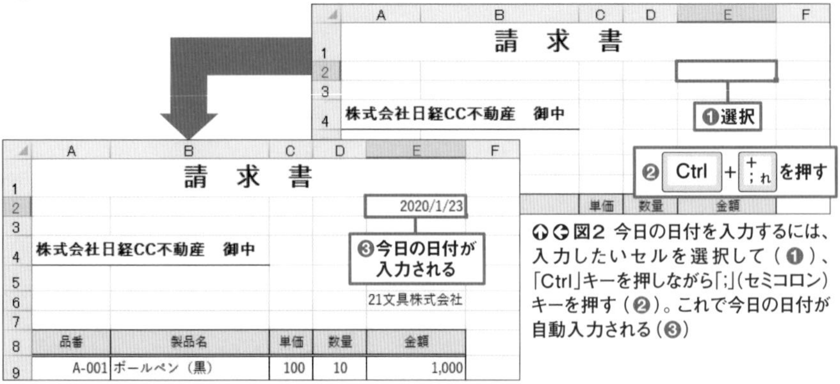

図2 今日の日付を入力するには、入力したいセルを選択して（❶）、「Ctrl」キーを押しながら「;」（セミコロン）キーを押す（❷）。これで今日の日付が自動入力される（❸）

お役立ち度 ★★★★

現在の時刻を入力する

現在の時刻を入力したいセルを選択して、「Ctrl」キーを押しながら「:」（コロン）キーを押す

左ページでは、今日の日付を入力するキー操作を紹介した。ここでは、現在時刻を入力する方法を紹介しよう。

セルを選択し、「Ctrl」キーを押しながら「:」（コロン）キーを押す（**図1、図2**）。「:」（コロン）は、「;」（セミコロン）の1つ右側にある「け」のキーだ。

「:」は時と分を区切る記号なので、時刻の入力に「:」キーを使うというのは覚えやすいだろう。その左隣の「;」が日付の入力に使うキーだと覚えればよい。

「Ctrl」＋「:」で現在の時刻を入力できる

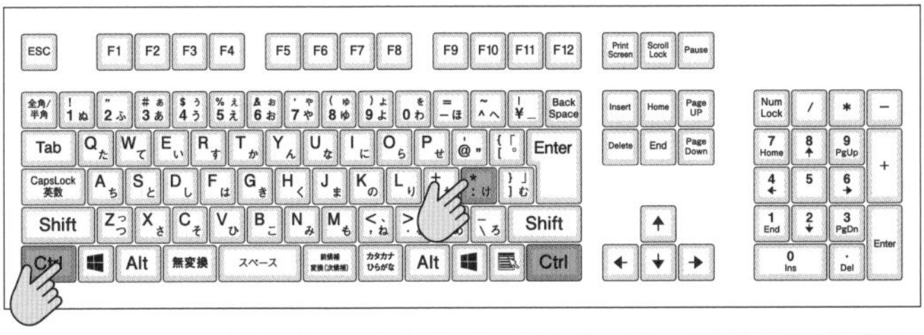

図1 「:」（コロン）は、ひらがなの「け」が書かれているキーだ

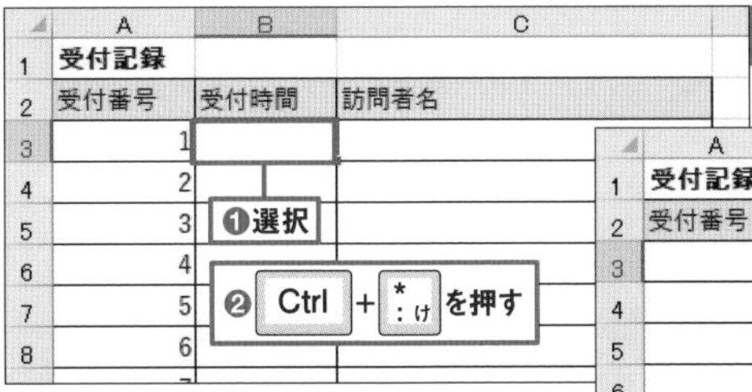

図2 現在の時刻を入力するには、入力したいセルを選択して（❶）、「Ctrl」キーを押しながら「:」（コロン）キーを押す（❷）。これで現在の時刻が自動入力される（❸）

お役立ち度 ★★★★★

入力後に選択セルを移動する

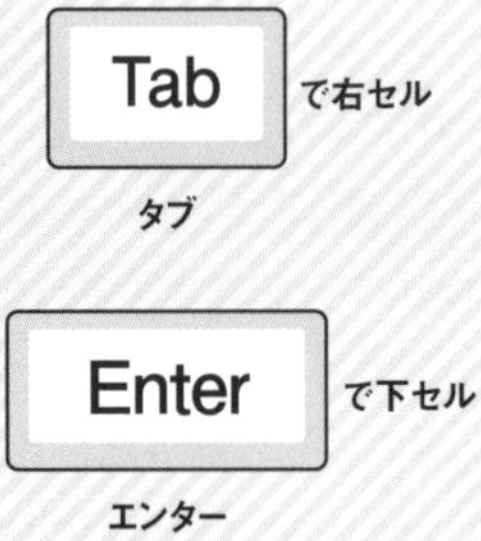

データを入力した後、「Tab」キーを押すと右のセルに、「Enter」キーを押すと下のセルに選択が切り替わる

セルにデータを入力していく際には、次に入力したいセルを簡単に選択できると、手間が減るので大変便利だ。

対象セルを右に移動するには、データの入力後に「Tab」キーを押す（**図1**）。すると右隣のセルに移動するので、順に右方向へ入力していける。表の右端のセルの入力を終えたら、今度は「Enter」キーを押そう。最初に入力を開始したセルのすぐ下のセルが選択されるので、続けてデータを入力できる（**図2**）。

「Tab」と「Enter」でセル移動して表作成をスムーズに

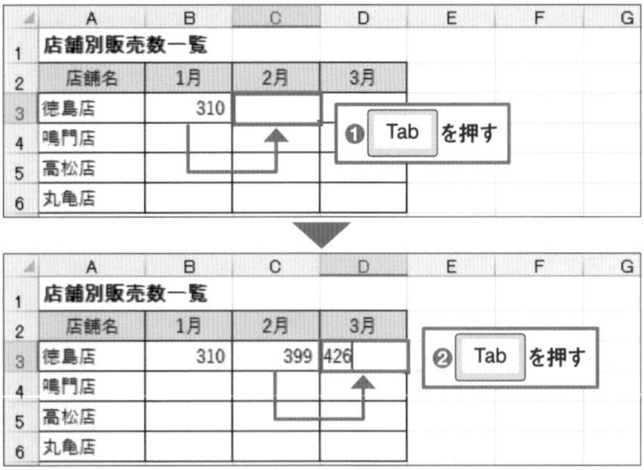

図1 データを入力した後、「Tab」キーを押すと右のセルに選択が切り替わる（❶）。表の右端まで、同様にデータを入力して「Tab」キーを押して移動していこう（❷）

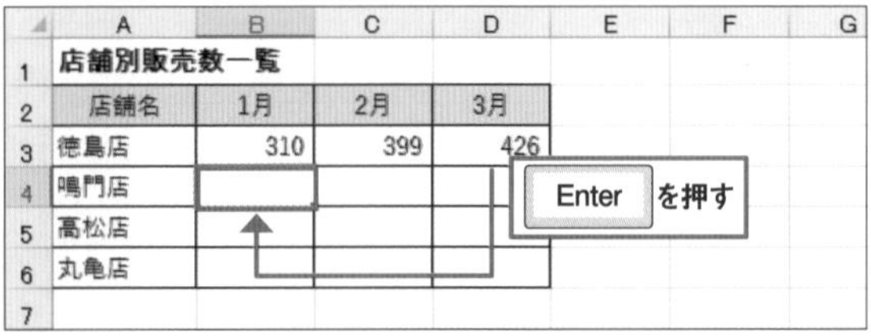

図2 表の右端のセルまでデータの入力を終えたら、今度は「Enter」キーを押す。すると、入力を開始したセルのすぐ下のセルに選択が切り替わる

お役立ち度 ★★★★★

セル内の文字列を編集する

セルを選択した状態で「F2」キーを押す

セルに入力したデータを修正したい場合、そのセルを選択した状態で「F2」キーを押す。すると、末尾にカーソルが表示されるので、文字を入力したり削除したりできる（**図1**）。編集が終わったら「Enter」キーを押そう。それで確定される（**図2**）。編集したい文字の部分でダブルクリックしても編集状態になる。

また、すべての文字列を書き換える場合は、セルを選択した状態で入力すると、丸ごと入れ替えられる。

■文字列を編集するには「F2」キーを使おう

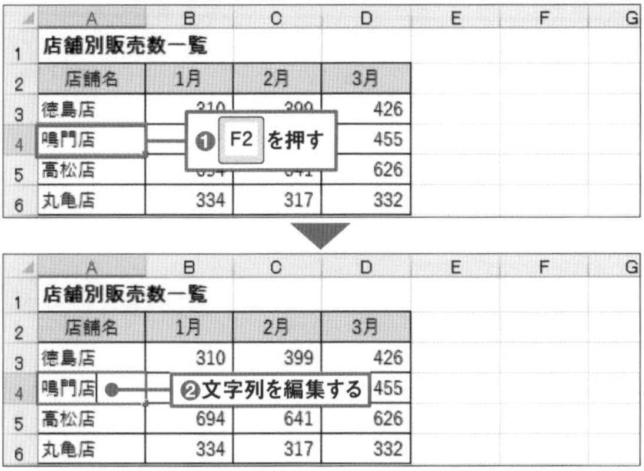

	A	B	C	D
1	店舗別販売数一覧			
2	店舗名	1月	2月	3月
3	徳島店	310	399	426
4	鳴門店			455
5	高松店	694	641	626
6	丸亀店	334	317	332

❸ 図1 編集したいセルを選択し、「F2」キーを押す（❶）。カーソルが現れるので、文字列を編集する（❷）

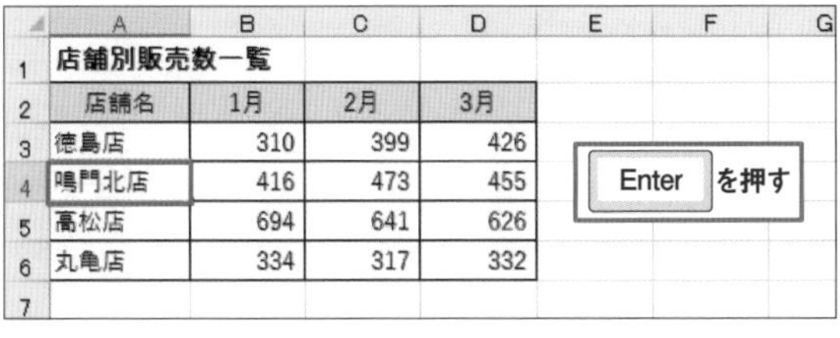

	A	B	C	D
1	店舗別販売数一覧			
2	店舗名	1月	2月	3月
3	徳島店	310	399	426
4	鳴門北店	416	473	455
5	高松店	694	641	626
6	丸亀店	334	317	332
7				

❸ 図2 編集し終えたら「Enter」キーを押して確定する

お役立ち度 ★★★★★

セル内の任意の位置で改行する

改行したい位置にカーソルを置き、「Alt」キーを押しながら「Enter」キーを押す

1つのセル内の文字数が多いときは、途中で改行すると見やすくなる。「ホーム」タブの「折り返して全体を表示する」だと、セルの幅に合わせて改行される。一方、“セル内改行”のワザを使うと、区切りのいい位置で強制的に改行できる。

それには、セル内で改行したい位置にカーソルを置き、「Alt」キーを押しながら「Enter」キーを押す。これでその位置で改行できる（**図1、図2**）。あとは「Enter」キーでセルを確定すればよい。

■「Alt」＋「Enter」で区切りのいい位置で改行

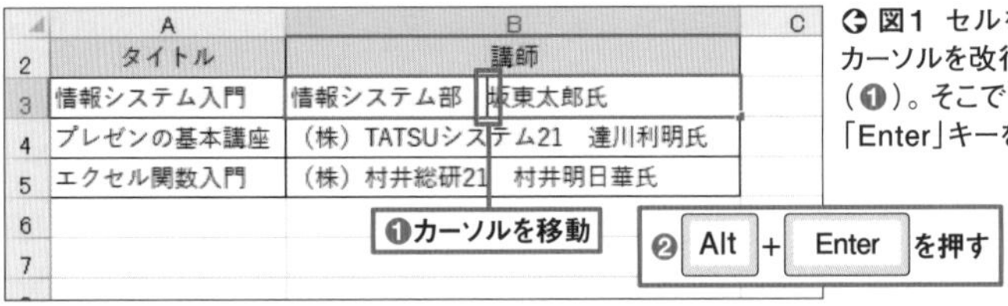

図1 セルを文字編集モードにし、カーソルを改行したい位置へ移動する（❶）。そこで「Alt」キーを押しながら「Enter」キーを押す（❷）

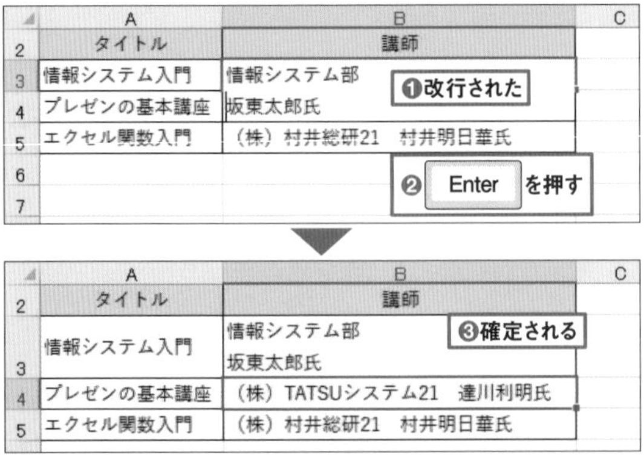

図2 これで、セルの中の好きな位置で改行できる（❶〜❸）。なお、セル内改行を設定したセルには、自動的に「折り返して全体を表示する」という書式が付く。これをオフにすると改行の表示ができないので注意しよう

あるときはエンターテイナーの開業《かいぎょう》医《い》

Alt　Enter　**セル内改行**

Column セル内改行は「Ctrl」+「J」で検索

「Alt」+「Enter」キーを使うとセル内で改行できるが、後になってこのセル内改行を削除したくなったらどうすればよいか。セルを編集状態にして改行位置にカーソルを置き、「Delete」キーを押せば削除できるが、シート内にある大量のセル内改行を削除したい場合は、探すのも削除するのも大変だ。

そんなときは、「検索と置換」機能で利用できる裏ワザを使おう。実は「検索と置換」画面では、入力欄で「Ctrl」+「J」キーを押すことで、セル内改行を指定できる。「検索する文字列」欄で「Ctrl」+「J」キーを押し、「置換後の文字列」欄が空欄のまま「すべて置換」を押せば、シート内のセル内改行をすべて削除できる。

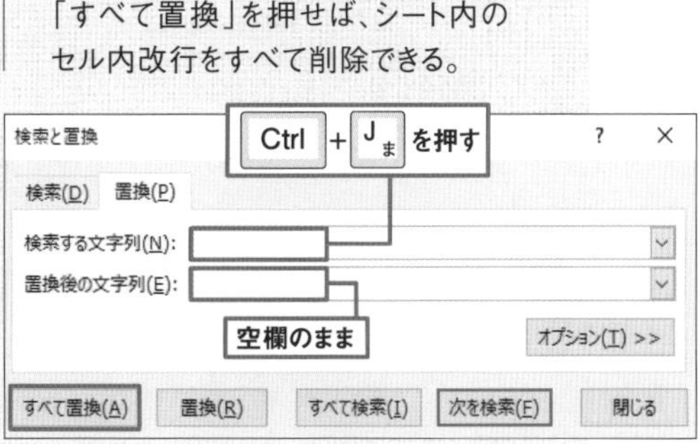

お役立ち度 ★★★★

すぐ上のセルの内容をコピーする

セルを選択し、「Ctrl」キーを押しながら「D」キーを押す

表にデータを入力する際、すぐ上のセルと同じデータを入力したいことがある。こんなときは「Ctrl」キーを押しながら「D」キーを押そう。上のセルの内容をそのまま一発でコピーできる（**図1**）。再度入力するより楽だ。「D」は下方向（Down）という意味だ。

ちなみに、すぐ左のセルの内容をコピーすることもできる。こちらは、「Ctrl」キーを押しながら「R」キーを押せばよい（**図2**）。右方向（Right）の「R」だ。

「Ctrl」＋「D」で上のセルをコピー、「Ctrl」＋「R」で左のセルをコピー

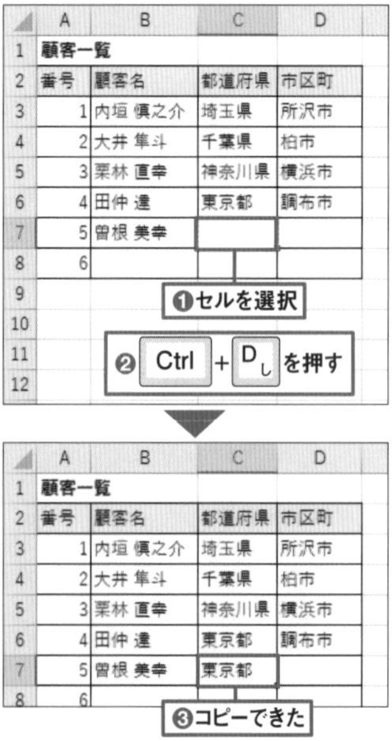

	A	B	C	D
1	顧客一覧			
2	番号	顧客名	都道府県	市区町
3	1	内垣 慎之介	埼玉県	所沢市
4	2	大井 隼斗	千葉県	柏市
5	3	栗林 直幸	神奈川県	横浜市
6	4	田仲 達	東京都	調布市
7	5	曽根 美幸		
8	6			
9				
10				
11				
12				

	A	B	C	D
1	顧客一覧			
2	番号	顧客名	都道府県	市区町
3	1	内垣 慎之介	埼玉県	所沢市
4	2	大井 隼斗	千葉県	柏市
5	3	栗林 直幸	神奈川県	横浜市
6	4	田仲 達	東京都	調布市
7	5	曽根 美幸	東京都	
8	6			

◀ **図1** すぐ上のセルの内容をコピーしたい場合は、入力したいセルを選択し（❶）、「Ctrl」キーを押しながら「D」キーを押す（❷）。「D」は下方向（Down）へコピーすると覚えよう。これで、上のセルの内容をコピーできる（❸）

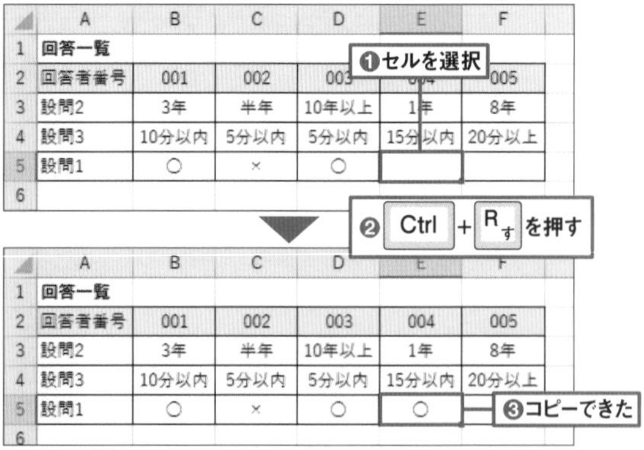

	A	B	C	D	E	F
1	回答一覧					
2	回答者番号	001	002	003	004	005
3	設問2	3年	半年	10年以上	1年	8年
4	設問3	10分以内	5分以内	5分以内	15分以内	20分以上
5	設問1	○	×	○		
6						

	A	B	C	D	E	F
1	回答一覧					
2	回答者番号	001	002	003	004	005
3	設問2	3年	半年	10年以上	1年	8年
4	設問3	10分以内	5分以内	5分以内	15分以内	20分以上
5	設問1	○	×	○	○	
6						

▲ **図2** すぐ左のセルの内容をコピーしたければ、「Ctrl」キーを押しながら「R」キーを押せばよい（❶～❸）。「R」は右方向（Right）へコピーするという意味だ

お役立ち度 ★★★★★

以前に入力したデータを一覧から入力する

セルを選択して「Alt」キーを押しながら「↓」キーを押す。一覧表示から目的のデータを選んで「Enter」キーを押す

同じデータを何度も入力するような表では、そのつど手入力するのは効率が悪い。入力済みのデータを一覧表示して、そこから選択して入力すると時短でき、入力ミスもなくなる。

「Alt」キーを押しながら「↓」(下矢印)キーを押すと、同じ列に入力済みのデータが一覧表示される。ここから選ぶと簡単だ(**図1、図2**)。なおこの機能は、文字列が入力された列のみ有効で、数字や日付のセルでは使えない。

■「Alt」+「↓」で、以前入力したデータをリスト表示

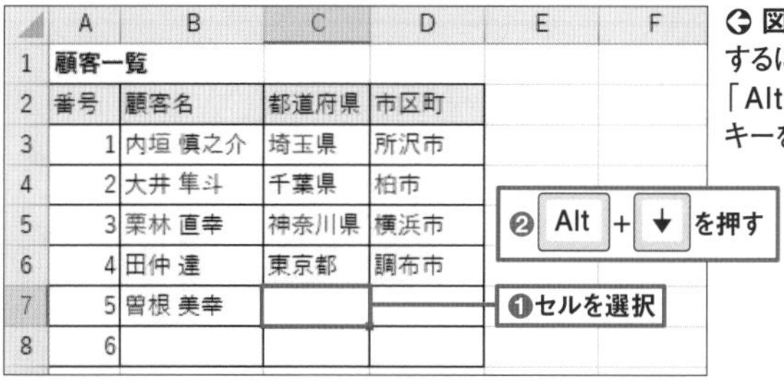

	A	B	C	D	E	F
1	顧客一覧					
2	番号	顧客名	都道府県	市区町		
3	1	内垣 慎之介	埼玉県	所沢市		
4	2	大井 隼斗	千葉県	柏市		
5	3	栗林 直幸	神奈川県	横浜市		
6	4	田仲 達	東京都	調布市		
7	5	曽根 美幸				
8	6					

◀ **図1** 入力済みデータの一覧を表示するには、入力したいセルを選択し(❶)、「Alt」キーを押しながら「↓」(下矢印)キーを押す(❷)

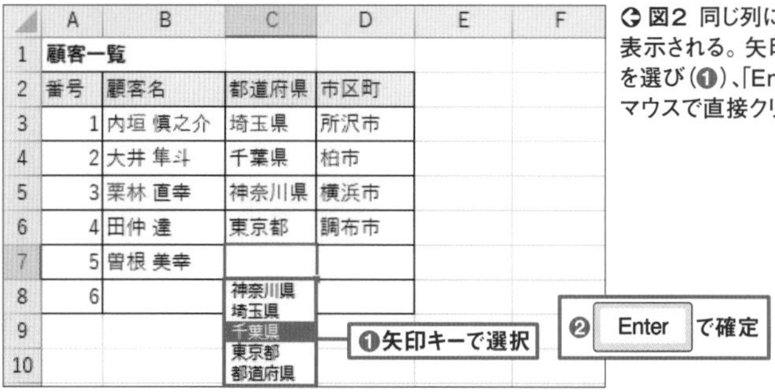

	A	B	C	D	E	F
1	顧客一覧					
2	番号	顧客名	都道府県	市区町		
3	1	内垣 慎之介	埼玉県	所沢市		
4	2	大井 隼斗	千葉県	柏市		
5	3	栗林 直幸	神奈川県	横浜市		
6	4	田仲 達	東京都	調布市		
7	5	曽根 美幸				
8	6					
9						
10						

◀ **図2** 同じ列に入力済みのデータが一覧表示される。矢印キーで入力したいデータを選び(❶)、「Enter」キーで確定する(❷)。マウスで直接クリックしてもよい

お役立ち度 ★★★★★

「形式を選択して貼り付け」画面を表示する

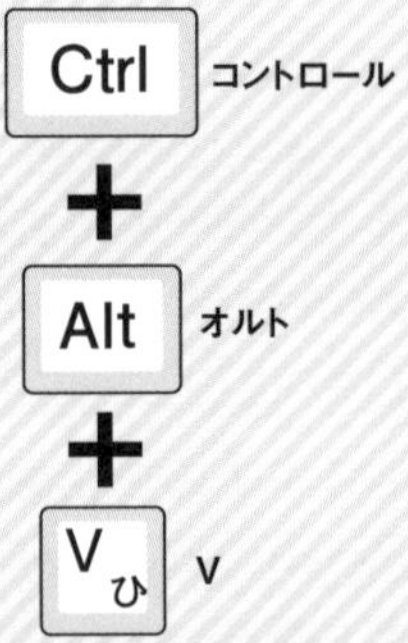

貼り付け先のセルを選択し、「Ctrl」キーと「Alt」キーを押しながら「V」キーを押す

「コピーしたセルの値だけを貼り付けたい」「値はそのままで列幅だけをコピー元と同じにしたい」——。こんな特殊な貼り付けを可能にするのが「形式を選択して貼り付け」。右クリックメニューからも操作可能だが、手順が多くて面倒だ。

キー操作なら、「Ctrl」キーと「Alt」キーを押しながら「V」キーを押すことで、簡単に「形式を選択して貼り付け」画面を呼び出せる（**図1**）。画面が表示されたら、形式を選択すればよい（**図2**）。

「Ctrl」＋「Alt」＋「V」で「形式を選択して貼り付け」画面を表示！

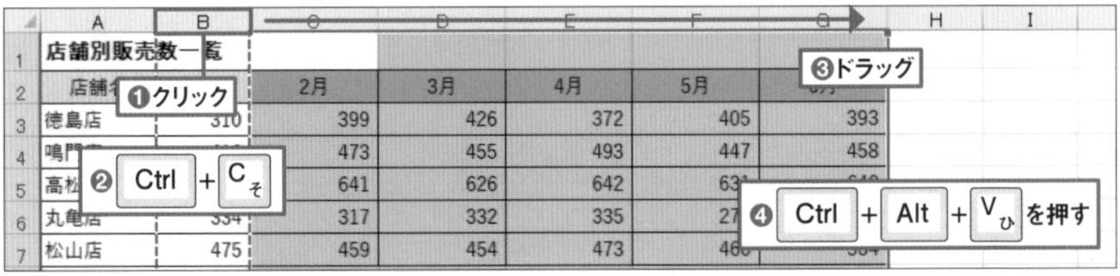

図1 例えば列幅をコピー元と同じにするには、まずコピー元の列番号をクリックして選択し（❶）、「Ctrl」＋「C」キーでコピー（❷）。貼り付け先の列番号をドラッグし（❸）、「Ctrl」＋「Alt」＋「V」キーを押す（❹）

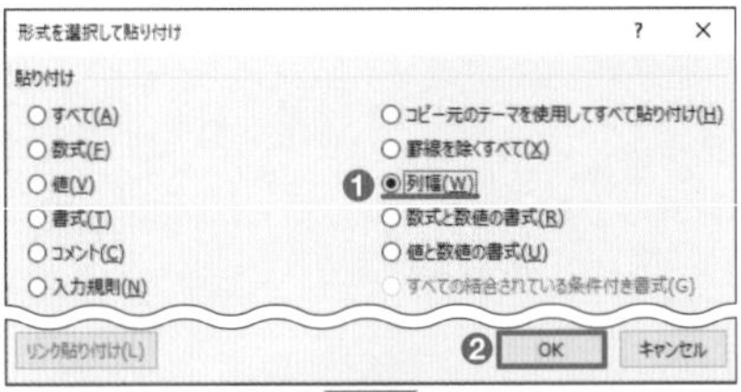

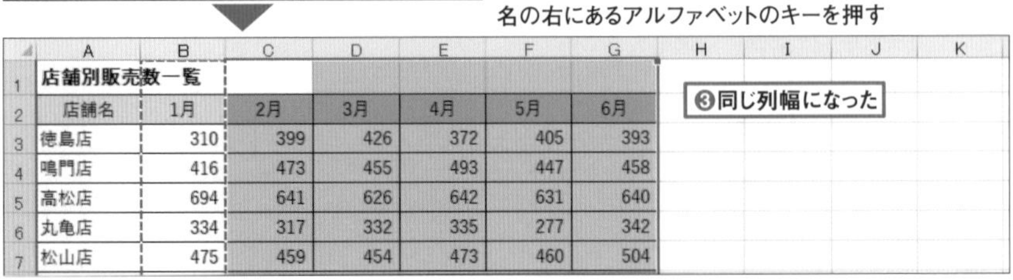

図2 開く画面で「列幅」を選んで「OK」を押せば（❶❷）、貼り付け先の列幅が、コピー元と同じになる（❸）。なおキー操作だけで項目を選択するには、項目名の右にあるアルファベットのキーを押す

お役立ち度 ★★★★★

セルを移動せずに入力を確定する

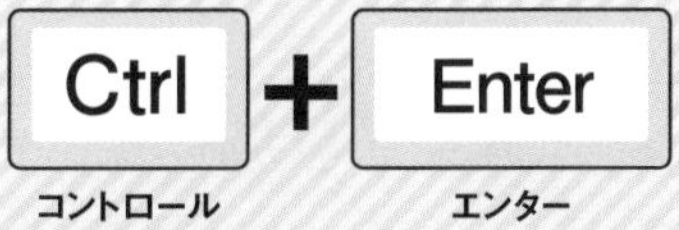

データを入力した後、「Ctrl」キーを押しながら「Enter」キーを押す

通常、セルにデータを入力した後は次のデータを入力しやすいよう、「Tab」キーや「Enter」キーを押して右や下に選択セルを移動する（78ページ参照）。しかし、データを入力した後、すぐにそのセルに装飾を施したいこともある。

そんなときは「Ctrl」キーを押しながら「Enter」キーを押そう（**図1、図2**）。入力したセルが選択されたままの状態で入力が確定するので、すぐに塗りつぶしや太字などの装飾を施せる。

■データ入力後「Ctrl」＋「Enter」で確定するとセルが移動しない

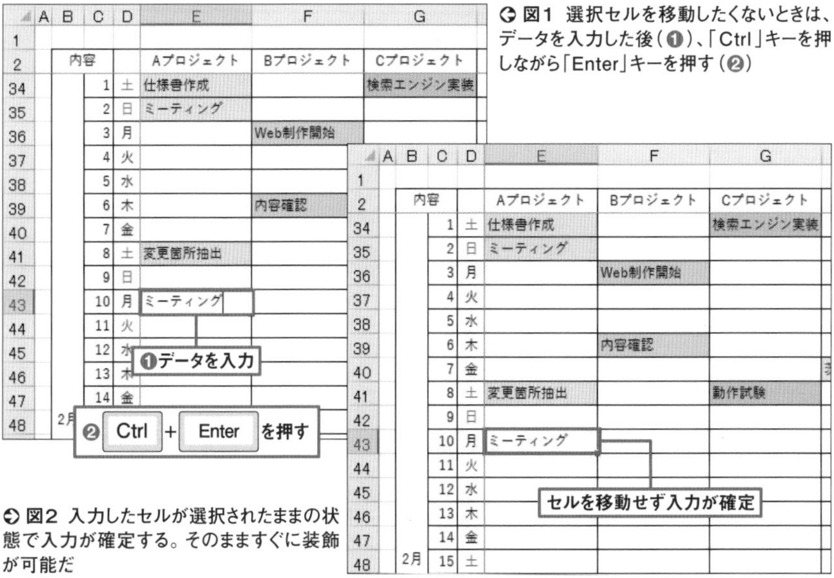

図1 選択セルを移動したくないときは、データを入力した後（❶）、「Ctrl」キーを押しながら「Enter」キーを押す（❷）

図2 入力したセルが選択されたままの状態で入力が確定する。そのまますぐに装飾が可能だ

お役立ち度 ★★★★☆

表の端のセルに移動する

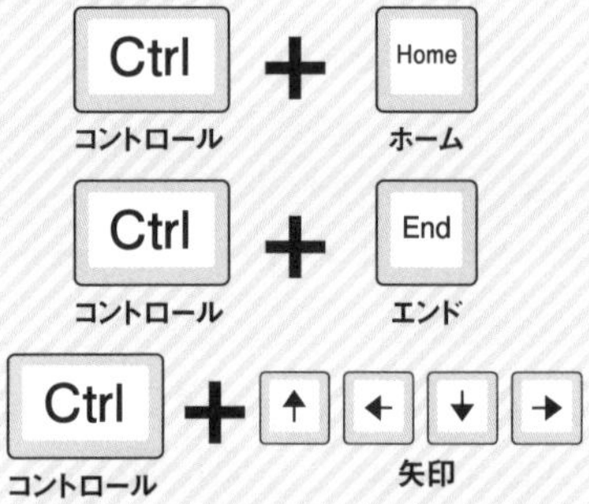

「Ctrl」キーを押しながら、「Home」キーや「End」キー、矢印キーを押すと表の端に移動する

大きな表で表の端の部分を見るには、何度もスクロールしなければならず面倒。こんなときは、キー操作を使おう。

現在選択しているセルと同じ行や列の端のセルへ移動するには、「Ctrl」キーを押しながら、移動したい方向の矢印キーを押す。これで、一発で表の端まで移動できる。データがある右下隅へ移動したければ「Ctrl」+「End」キーを、A1セルへ移動したい場合は「Ctrl」+「Home」キーを押そう（**図1**）。

「Ctrl」+矢印キーでその行、その列の端に移動!

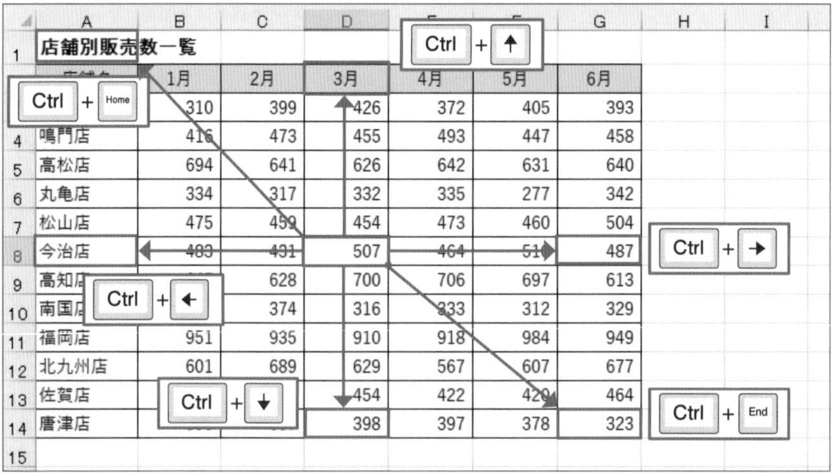

	A	B	C	D	E	F	G	H	I
1	店舗別販売数一覧								
2	[illegible]	1月	2月	3月	4月	5月	6月		
3	[illegible]	310	399	426	372	405	393		
4	鳴門店	416	473	455	493	447	458		
5	高松店	694	641	626	642	631	640		
6	丸亀店	334	317	332	335	277	342		
7	松山店	475	459	454	473	460	504		
8	今治店	483	431	507	464	[illegible]	487		
9	高知[illegible]	[illegible]	628	700	706	697	613		
10	南国[illegible]	[illegible]	374	316	333	312	329		
11	福岡店	951	935	910	918	984	949		
12	北九州店	601	689	629	567	607	677		
13	佐賀店	[illegible]	[illegible]	454	422	420	464		
14	唐津店	[illegible]	[illegible]	398	397	378	323		
15									

図1 選択しているセルの同じ行や同じ列の端のセルへ移動するには、「Ctrl」キーを押しながら矢印キーを押す。データの右下隅へ移動したければ、「Ctrl」+「End」キーを、A1セルへ移動するには「Ctrl」+「Home」キーを押せばよい。ただし、「Ctrl」+矢印キーは、表の途中に空白セルがあると、その手前までしか移動できないので注意しよう

近藤《こんどう》さん やっと成功《せいこう》、氷上《ひょうじょう》ジャンプ

Ctrl →　表の端までジャンプ

Column 連続したデータの端までジャンプ

「Ctrl」キーと矢印キーを使うと表の端までジャンプできるが、厳密にいうと「表の端」ではなく、「データの切れ目」までジャンプするのがこのショートカットキーの機能だ。そのため、移動する方向に空白セルがあれば、その手前のセルで止まる。逆に、開始セルからずっと空白セルが続いている場合は、空白セルの先にある入力済みのセルまでジャンプする。従って、10行置きなどと“飛び飛び”に入力されたセルをたどる場合にも有効だ。

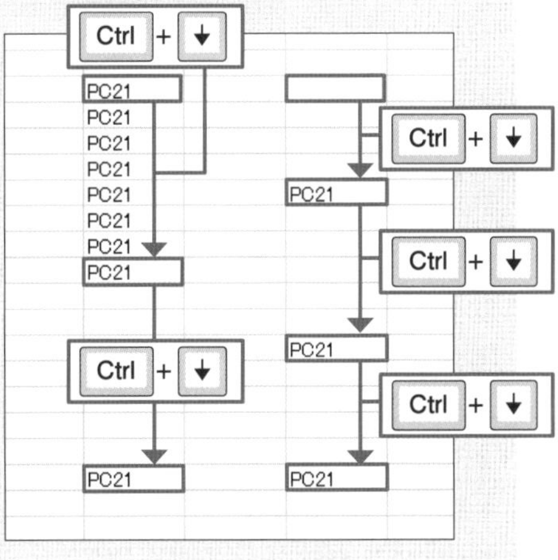

お役立ち度 ★★★★★

セルの選択範囲を拡大・縮小する

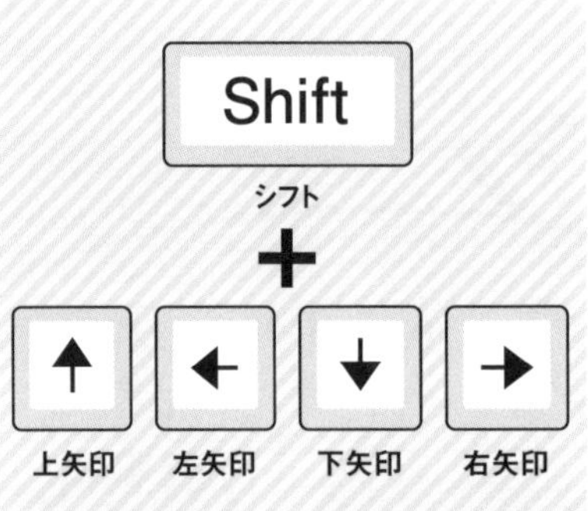

セルの選択範囲を左右上下に拡大・縮小するには、「Shift」キーを押しながら矢印キーを押す

キーボードで入力中に、セルを選択したり選択範囲を変更したりしたくなった。こんなときは、「Shift」キーを押しながら矢印キーを押そう。

矢印キーだけを押すと、入力対象セルが移動するが、「Shift」キーを押しながら矢印キーを押すと、最初の選択セルを起点として、範囲選択ができる。例えば「Shift」+「→」キーと、「Shift」+「↓」キーを押せば、右方向と下方向に選択範囲が広がる（**図1**）。

■「Shift」+矢印キーで範囲選択を拡大・縮小

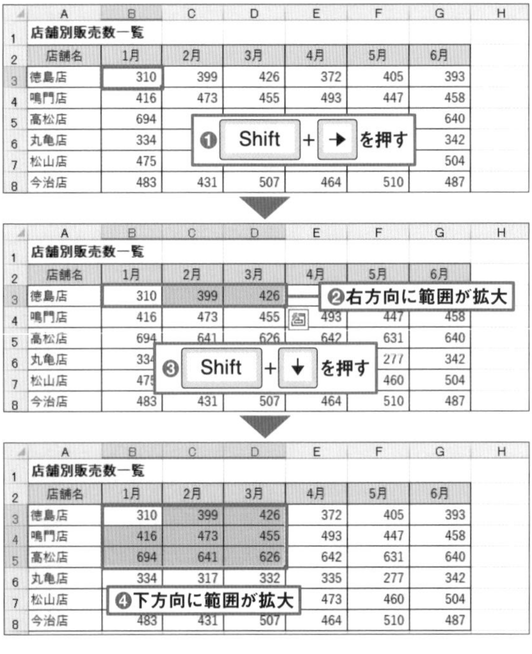

	A	B	C	D	E	F	G	H
1	店舗別販売数一覧							
2	店舗名	1月	2月	3月	4月	5月	6月	
3	徳島店	310	399	426	372	405	393	
4	鳴門店	416	473	455	493	447	458	
5	高松店	694					640	
6	丸亀店	334					342	
7	松山店	475					504	
8	今治店	483	431	507	464	510	487	

	A	B	C	D	E	F	G	H
1	店舗別販売数一覧							
2	店舗名	1月	2月	3月	4月	5月	6月	
3	徳島店	310	399	426				
4	鳴門店	416	473	455	493	447	458	
5	高松店	694	641	626	642	631	640	
6	丸亀店	334				277	342	
7	松山店	475				460	504	
8	今治店	483	431	507	464	510	487	

	A	B	C	D	E	F	G	H
1	店舗別販売数一覧							
2	店舗名	1月	2月	3月	4月	5月	6月	
3	徳島店	310	399	426	372	405	393	
4	鳴門店	416	473	455	493	447	458	
5	高松店	694	641	626	642	631	640	
6	丸亀店	334	317	332	335	277	342	
7	松山店				473	460	504	
8	今治店	483	431	507	464	510	487	

図1 1つのセルを選択した状態から選択範囲を広げてみよう。まず、右に範囲を広げるには「Shift」キーを押したまま「→」（右矢印）キーを何回か押す（❶）。これで右方向に範囲を拡大できる（❷）。このとき「Shift」+「←」キーを押すと拡大した範囲が縮小される。次に下に範囲を広げるために「Shift」キーを押したまま「↓」（下矢印）キーを何回か押そう（❸）。下方向に範囲が拡大する（❹）

お役立ち度 ★★★★★

表全体を選択する

表内の任意のセルを1つ選択して「Ctrl」キーと「Shift」キーを押しながら「:」(コロン)キーを押す

コピーや書式変更などのため、表全体を選択したいことがある。しかし、大きな表をドラッグ操作で選択するのはけっこう面倒だ。そこで、表全体を一発で選択できるキー操作を使うとよい。

表の中のセルをどれか1つ選択し、「Ctrl」キーと「Shift」キーを押しながら「:」(コロン)キーを押す(**図1**)。すると、表全体を選択できる(**図2**)。ただし表中に空白の行や列があると、その手前までしか選択できない。

■「Ctrl」+「Shift」+「:」で表全体を素早く選択

	A	B	C	D	E	F	G
1	店舗名	1月	2月	3月	4月	5月	6月
2	徳島店	310	399	426	372	405	393
3	鳴門店	416	473	455	493	447	458
4	高松店	694	641	626	642	631	640
5	丸亀店	334	317	332	335	277	342
6	松山店	475	459		473	460	504
7	今治店	483	431	507	464	510	487
8	高知店	645	628	700	706	697	613
9	南国店					312	329

❶選択

❷ Ctrl + Shift + *:け を押す

◀図1 表内の任意のセルを1つ選択し(❶)、「Ctrl」キーと「Shift」キーを押しながら「:」(コロン)キーを押す(❷)。テンキーのあるパソコンなら「Ctrl」+テンキーの「*」キーでもOKだ。このときは「Shift」キーは押さない

	A	B	C	D	E	F	G
1	店舗名	1月	2月	3月	4月	5月	6月
2	徳島店	310	399	426	372	405	393
3	鳴門店	416	473	455	493	447	458
4	高松店	694	641	626	642	631	640
5	丸亀店	334	317	332	335	277	342
6	松山店	475	459	454	473	460	504
7	今治店	483	431	507			487
8	高知店	645	628	700			613
9	南国店	316	374	316	333	312	329

表全体が選択される

◀図2 これで、表全体を選択できる。ただしこの操作では、表の中に空白の行や列があると、その手前までしか選択できないので注意しよう。なお、「Ctrl」+「A」キーでも表全体を選択できる

お役立ち度 ★★★★★

表の端のセルまでを一気に選択する

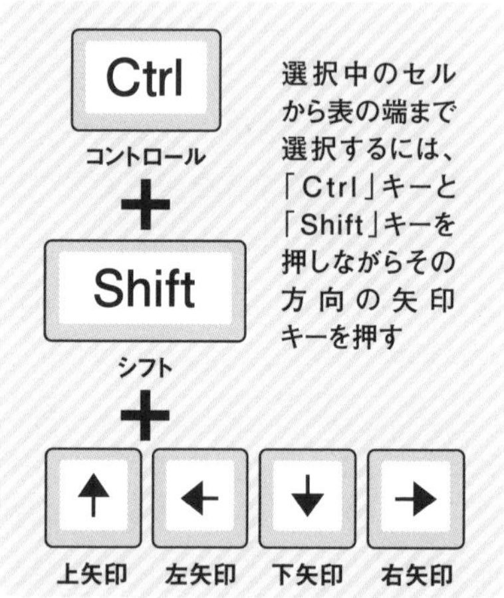

現在の選択中のセルから表の最後のセルまでを、まとめて削除したいことがある。こんなときは、キー操作のワザを使って、選択中のセルから表の端までのセルを一気に選択し、それから削除すると簡単だ。

「Ctrl」キーと「Shift」キーを押しながら、選択したい方向の矢印キーを押す。これで、選択中のセルからその方向の表の端までのセルを、一気に選択できる（**図1、図2**）。

「Ctrl」＋「Shift」＋矢印キーで表の端までを一気に選択

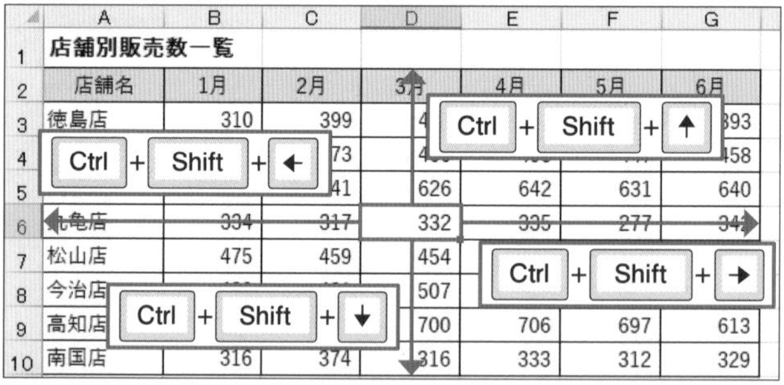

図1 選択中のセルから表の端までのセルを一気に選択するには、「Ctrl」キーと「Shift」キーを押しながら、選択したい方向の矢印キーを押せばよい。ただし、行や列に空白セルがある場合は、その直前までしか選択できない

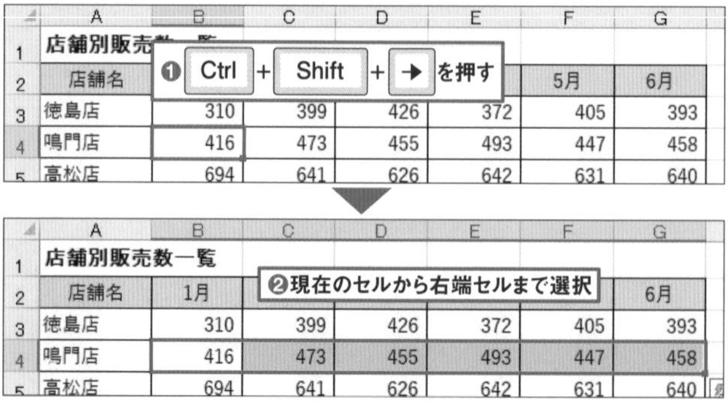

図2 例えば、「Ctrl」キーと「Shift」キーを押しながら「→」（右矢印）キーを押すと（❶）、選択中のセルから表の右端のセルまでを選択できる（❷）

お役立ち度 ★★★★★

選択セルがある列全体を選択する

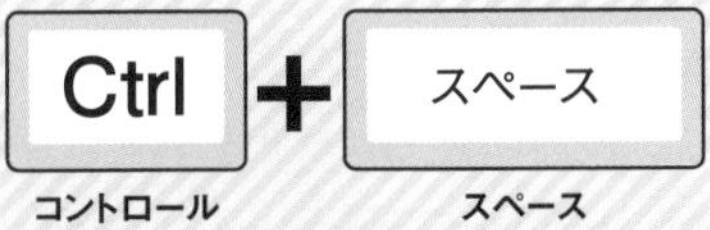

「Ctrl」キーを押しながらスペースキーを押すと、列全体を選択できる

列ごと削除したい、切り取って移動したい、などというときは、「Ctrl」キーを押しながらスペースキーを押そう。現在選択中のセルがある列全体が選択される（**図1**）。列全体を選択した後、「Shift」キーを押しながら左右矢印キーを押すと、範囲を横方向に拡大できる。

「Ctrl」+スペースキーで列を選択した後、「Shift」+「F10」キーで右クリックメニューを表示させれば（59ページ参照）、削除や切り取りができる。

■「Ctrl」+スペースキーで列全体を選択

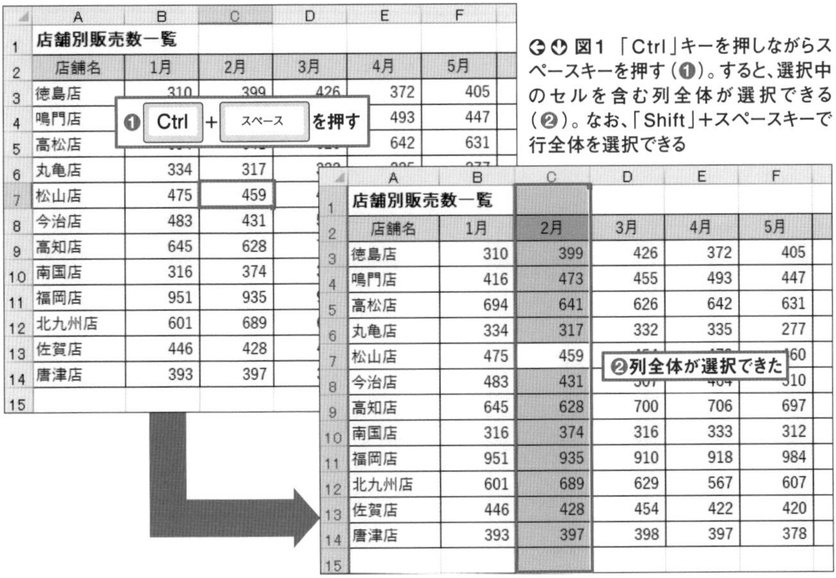

	A	B	C	D	E	F
1	店舗別販売数一覧					
2	店舗名	1月	2月	3月	4月	5月
3	徳島店	310	399	426	372	405
4	鳴門店	416	473	455	493	447
5	高松店	694	641	626	642	631
6	丸亀店	334	317	332	335	277
7	松山店	475	459	[illegible]	[illegible]	[illegible]
8	今治店	483	431	[illegible]	[illegible]	[illegible]
9	高知店	645	628	700	706	697
10	南国店	316	374	316	333	312
11	福岡店	951	935	910	918	984
12	北九州店	601	689	629	567	607
13	佐賀店	446	428	454	422	420
14	唐津店	393	397	398	397	378
15						

❶❷ **図1** 「Ctrl」キーを押しながらスペースキーを押す（❶）。すると、選択中のセルを含む列全体が選択できる（❷）。なお、「Shift」+スペースキーで行全体を選択できる

表の一部を削除して全体を詰める

削除したいセル範囲を選択して、「Ctrl」キーを押しながら「ー」（マイナス）キーを押す

表の一部を削除して全体を詰めたいことがある。通常は、行や列ごと削除すればよいのだが、同一シート内に複数の表を作っているようなケースでは、ほかの表に影響が出るのでうまくない。

こんなときに便利なワザを紹介しよう。削除したいセル範囲を選択して、「Ctrl」キーを押しながら「－」（マイナス）キーを押す。開く画面で詰める方向を指定すればよい（**図1**）。「－」（マイナス）キーは、テンキーでもOKだ。

「Ctrl」＋「ー」で表の一部を削除して詰める

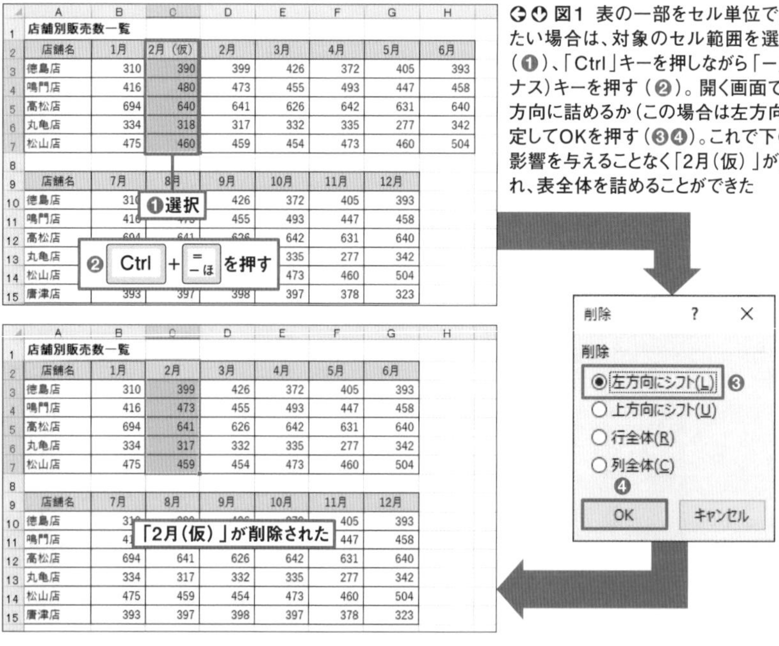

店舗別販売数一覧

店舗名	1月	2月（仮）	2月	3月	4月	5月	6月
徳島店	310	390	399	426	372	405	393
鳴門店	416	480	473	455	493	447	458
高松店	694	640	641	626	642	631	640
丸亀店	334	318	317	332	335	277	342
松山店	475	460	459	454	473	460	504

店舗名	7月	8月	9月	10月	11月	12月
徳島店	[illegible]	[illegible]	426	372	405	393
鳴門店	[illegible]	[illegible]	455	493	447	458
高松店	[illegible]	[illegible]	[illegible]	642	631	640
丸亀店	[illegible]	[illegible]	[illegible]	335	277	342
松山店	[illegible]	[illegible]	[illegible]	473	460	504
唐津店	393	397	398	397	378	323

店舗別販売数一覧

店舗名	1月	2月	3月	4月	5月	6月
徳島店	310	399	426	372	405	393
鳴門店	416	473	455	493	447	458
高松店	694	641	626	642	631	640
丸亀店	334	317	332	335	277	342
松山店	475	459	454	473	460	504

店舗名	7月	8月	9月	10月	11月	12月
徳島店	[illegible]	[illegible]	[illegible]	[illegible]	405	393
鳴門店	[illegible]	[illegible]	[illegible]	[illegible]	447	458
高松店	694	641	626	642	631	640
丸亀店	334	317	332	335	277	342
松山店	475	459	454	473	460	504
唐津店	393	397	398	397	378	323

図1 表の一部をセル単位で削除したい場合は、対象のセル範囲を選択して（❶）、「Ctrl」キーを押しながら「ー」（マイナス）キーを押す（❷）。開く画面で、どの方向に詰めるか（この場合は左方向）を指定してOKを押す（❸❹）。これで下の表に影響を与えることなく「2月（仮）」が削除され、表全体を詰めることができた

お役立ち度 ★★★★

取り消し線を引く

セルを選択し、「Ctrl」キーを押しながら「5」キーを押す

工程表に記入したが、日程が変更になった。しかし前の予定も記録として残しておきたい――。そんな場合に便利なのが取り消し線だ。しかし、取り消し線を引こうと思うと、「セルの書式設定」画面を開き、「フォント」タブを選んで「取り消し線」のチェックをオンにする、という面倒な操作が必要だ。

キー操作なら一発で取り消し線を引ける。「Ctrl」キーを押しながら「5」キーを押す（**図1**）。たったこれだけでOKだ。

■「Ctrl」+「5」で瞬時に取り消し線が引ける

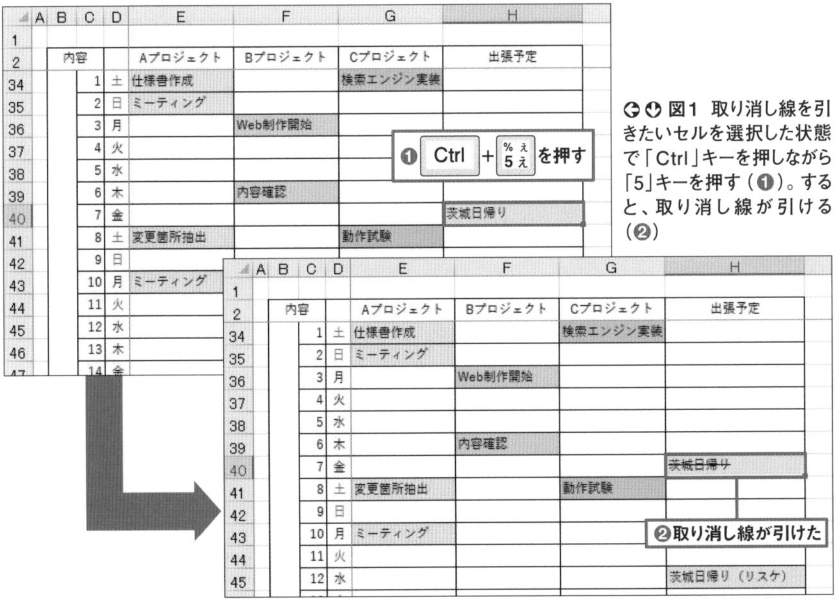

図1 取り消し線を引きたいセルを選択した状態で「Ctrl」キーを押しながら「5」キーを押す（❶）。すると、取り消し線が引ける（❷）

お役立ち度 ★★★★★

「セルの書式設定」画面を表示する

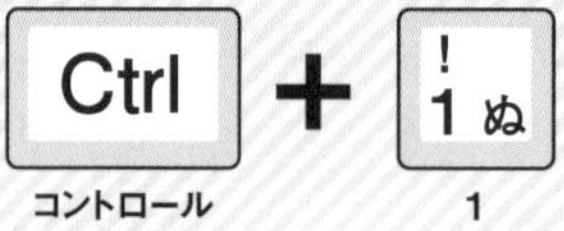

セルを選択し、「Ctrl」キーを押しながら「1」キーを押す

数値や日付の表示形式を指定したり、セルの書式をまとめて設定するときに利用するのが、「セルの書式設定」画面だ。よく使うので、できるだけ素早くこの画面を開きたいもの。そこで、ショートカットキーの出番だ。

「Ctrl」キーを押しながら「1」キーを押すと、即座にセルの書式設定画面を開ける（**図1、図2**）。ただし、テンキーの「1」では動作しない。キーボードの左上にある「1」を押そう。

■「Ctrl」+「1」で「セルの書式設定」画面を一発で開く

➲ 図1 「セルの書式設定」画面を素早く表示するには、まずセルを選択し（❶）、「Ctrl」キーを押しながら「1」キーを押す（❷）

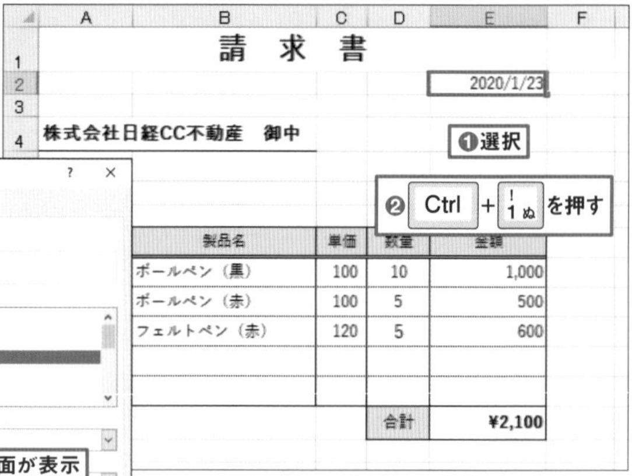

➲ 図2 セルの書式設定画面が表示される。ここで、表示形式などを指定できる

近藤《こんどう》さん、1番《いちばん》とって、表彰式《ひょうしょうしき》

Ctrl　！1ぬ　書式設定画面を開く

Column 曜日を漢字で自動表示するには?

「セルの書式設定」画面の「表示形式」タブにある「分類」欄で「日付」を選ぶと、日付をさまざまな書式で表示できる。ところが、ここには曜日を漢字で表示する表示形式がない。

しかし諦めてはいけない。実は、「分類」欄で「ユーザー定義」を選び、右側に表示される「種類」欄に「aaa」と入力すると、曜日を漢字1文字で表示できるのだ。「aaa」は曜日を漢字1文字で表示するための書式記号。「aaaa」と入れれば、「月曜日」などと漢字3文字で表示できる。そのほか、月は「m」、日は「d」で表示できるので、「m"月"d"日"(aaa)」と入力すれば、「6月1日(月)」のような表示になる。「月」や「日」の文字は、「"」(ダブルクォーテーション)で挟んで指定する。

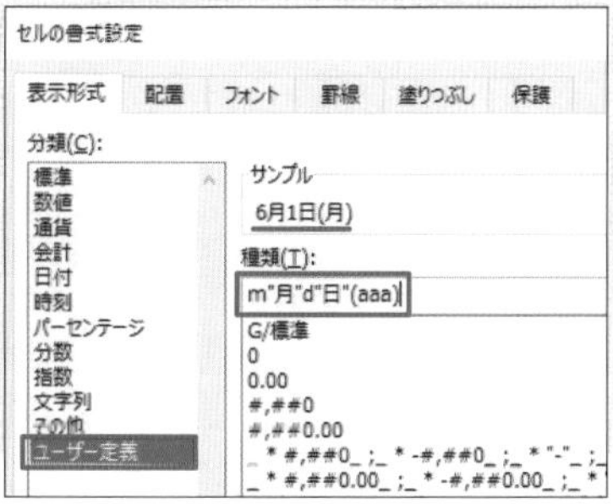

お役立ち度 ★★★★★

数値に通貨を設定する

セルを選択し、「Ctrl」キーと「Shift」キーを押しながら「4」キーを押す

「書式設定」画面では、数値データに¥とカンマを付けたり、パーセント表示にしたりとさまざまな書式を設定できる。

これらは、ショートカットキーでも設定可能だ。一番よく使うのは、¥とカンマを付けた通貨書式だろう。これを設定するには、「Ctrl」キーと「Shift」キーを押しながら「4」キーを押せばよい（**図1**）。ほかにもパーセント表示にしたり日付表示にしたり、また、標準に戻したりするショートカットキーもある（**図2**）。

■「Ctrl」+「Shift」+「4」で¥とカンマが付いた通貨表示に!

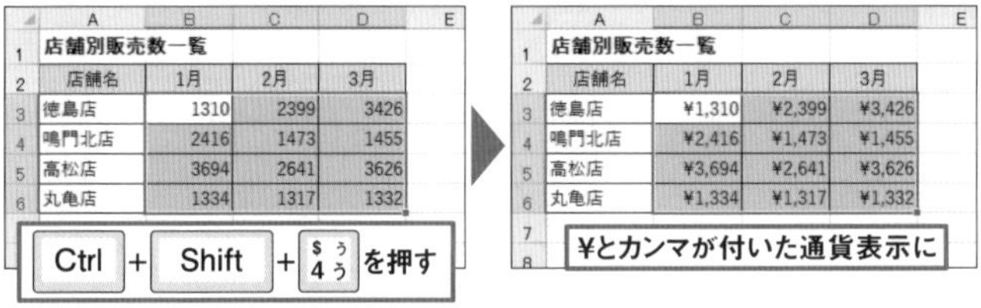

図1 設定したいセルを選択して「Ctrl」キーと「Shift」キーを押しながら「4」キーを押す。すると¥とカンマが付いた通貨表示になる

■ほかにもさまざまな書式を設定できる

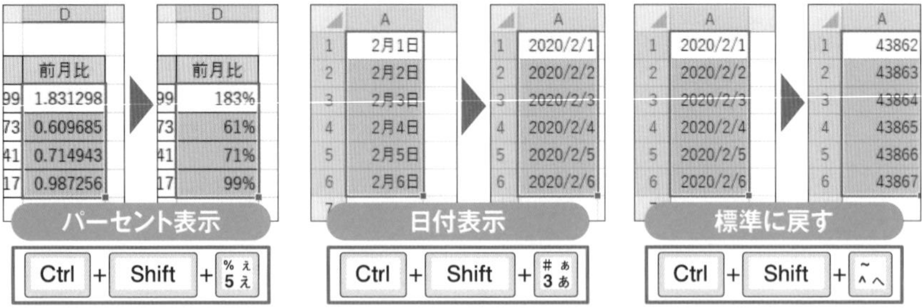

図2 パーセント表示や日付表示もショートカットで設定できる。「Ctrl」+「Shift」+「^」キーで標準に戻せることもセットで覚えておこう

ワークシートを追加する

「Shift」キーを押しながら「F11」キーを押す

エクセル2013以降、初期値では開くワークシートは1枚のみとなった。複数のシートを利用したい場合は、ワークシートを追加すればよい。マウスであればシート見出し右側の「+」キーを押せばよい。

キー操作でもワークシートを挿入できる。「Shift」キーを押しながら「F11」キーを押すのだ（**図1**）。

マウス操作の場合は現在選択しているシートの右側に、キー操作の場合は左側にシートが追加される。

「Shift」+「F11」でワークシートを追加できる

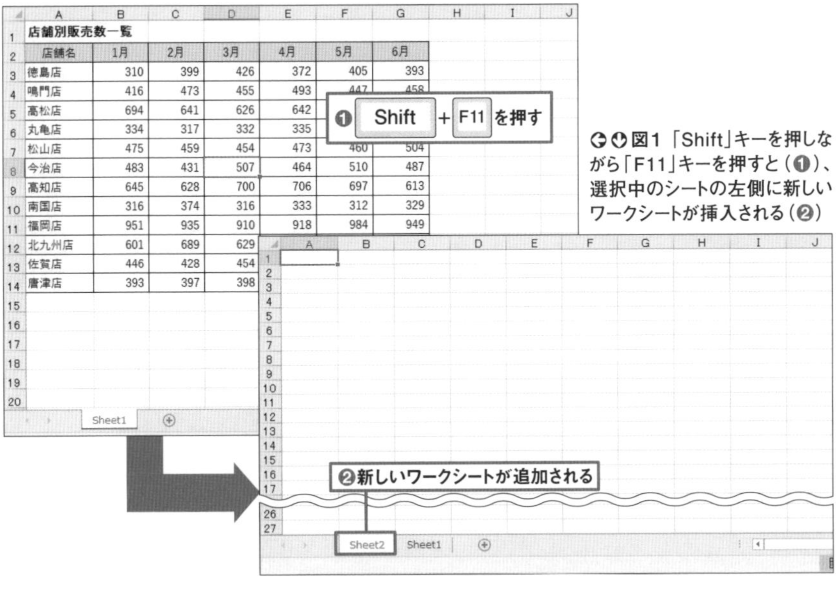

店舗名	1月	2月	3月	4月	5月	6月
徳島店	310	399	426	372	405	393
鳴門店	416	473	455	493	447	458
高松店	694	641	626	642		
丸亀店	334	317	332	335		
松山店	475	459	454	473	460	504
今治店	483	431	507	464	510	487
高知店	645	628	700	706	697	613
南国店	316	374	316	333	312	329
福岡店	951	935	910	918	984	949
北九州店	601	689	629			
佐賀店	446	428	454			
唐津店	393	397	398			

←↓図1 「Shift」キーを押しながら「F11」キーを押すと（❶）、選択中のシートの左側に新しいワークシートが挿入される（❷）

3章 エクセル

シートを1画面分スクロールする

お役立ち度 ★★★★★

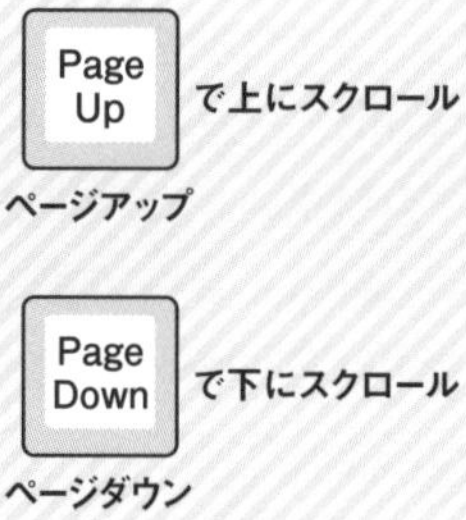

「PageDown」キーを押すと、下に1画面分スクロールできる。上に1画面スクロールする場合は「PageUp」キーを使う

画面に収まらない大きな表の内容を確認したい。こんなとき、マウスのホイールを使ってスクロールすると、どこまで確認したのかわからなくなることがある。

そこでお勧めしたいのが、キー操作でスクロールする方法。「PageDown」キーを押すと、下へ1画面分だけスクロールする。キーを押したままにすると、連続してスクロール可能だ。上に1画面分スクロールしたいときは、「PageUp」キーを押せばよい（**図1**）。

「PageUp」と「PageDown」で1画面分上下にスクロール

	A	B	C	D	E	F	G	H	I	
1	店舗別販売数一覧(2019)									
2										
3	店舗名	責任者氏名	2019/1	2019/2	2019/3	2019/4	2019/5	2019/6	2019/7	20
4	札幌店	北村健太郎	1,452	1,430	1,500	1,444	1,469	1,423	1,488	
5	函館店	海原聖子	987	920	940	1,007	933	991	987	
6	旭川店	道村行雄	1,034	993	1,065	1,056	1,026	1,080	1,032	
7	青森店	青島啓太	953	917	934	999	903	913	903	
8	八戸店	森山直美	760	759	801	792	798	756	820	
9	盛岡店	岩村春樹	658	694	662	655	622	663	634	
10	一関店	手島直彦	832	833	812	828	815	852	824	
11	仙台店	宮村孝之	1,145	1,157	1,165	1,120	1,150	1,161	1,159	
12	石巻店	城山美紀	532	524	581	558	524	492	512	
13	秋田店	秋本達弘	687	673	703	688	657	657	632	
14	横手店	田島由美子	451	476	419	464	442	487	417	
15	山形店	山田克也	638	608	572	592	655	694	651	
16	鶴岡店	形山明	518	520	525	541	533	552	553	
17	福島店	福田昭一	711	731	710	754	715	719	725	

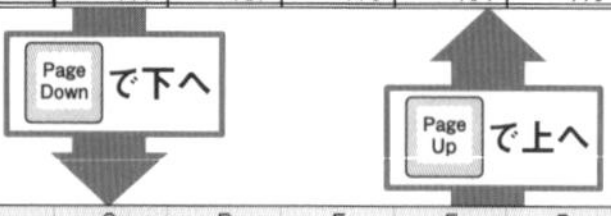

	A	B	C	D	E	F	G	H	I	
18	いわき店	島村文子	723	728	772	712	785	733	784	
19	水戸店	茨田美由紀	834	878	807	835	838	852	807	
20	日立店	木村一郎	726	725	753	724	736	704	772	
21	宇都宮店	栃山耕介	694	642	687	699	674	661	702	
22	栃木店	木村昇二	418	383	425	446	399	395	393	
23	前橋店	群司千夏	522	521	512	541	514	565	514	
24	高崎店	馬渕泰助	603	570	568	575	576	549	571	
25	さいたま店	埼田博人	1,058	1,090	1,074	1,072	1,106	1,050	1,072	
26	所沢店	玉木洋一	853	869	843	815	868	866	837	
27	千葉店	千原正弘	982	1,003	987	991	955	1,019	1,000	
28	船橋店	葉山修平	690	665	752	706	677	728	652	
29	新宿店	東山徹	2,154	2,150	2,187	2,182	2,146	2,101	2,202	
30	銀座店	京野奈津美	1,865	1,831	1,820	1,920	1,922	1,925	1,943	
31	横浜店	神崎宗一郎	1,937	1,982	1,970	1,976	1,898	1,922	1,899	
32	川崎店	奈村慶介	1,003	1,019	1,007	1,001	1,009	1,023	1,043	
33	相模原店	川島春香	695	748	716	659	687	695	744	
34	甲府店	山本彰浩	458	454	511	441	496	507	511	

図1 シートを1画面分だけ下にスクロールするには、「PageDown」キーを押す。2回押せば2画面分スクロールできる。キーを押しっぱなしにすると、連続して下にスクロールする。逆に、上にスクロールしたいときは「PageUp」キーを使う。ちなみに、右へは「Alt」+「PageDown」キー、左へは「Alt」+「PageUp」キーでスクロールできる

お役立ち度 ★★★★

別のシートへ表示を切り替える

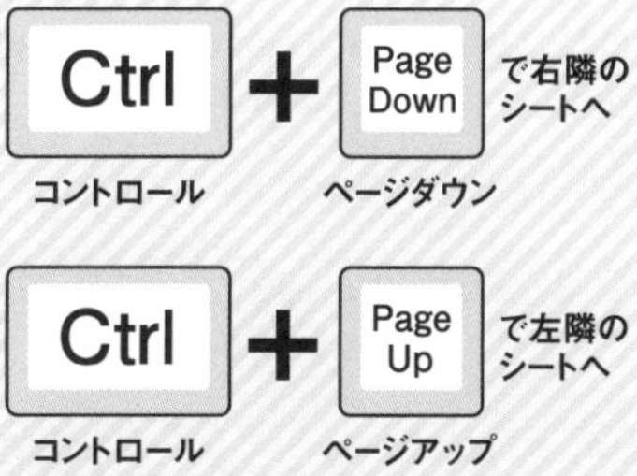

「Ctrl」キーを押しながら「PageDown」キーを押すと、右隣のシートに切り替わる。「Ctrl」+「PageUp」キーで左隣のシートを表示する

エクセルでは、1つのファイルの中に複数のワークシートを収めることができる。たくさんのシートに表を作成しているような場合、手早くシートの表示を切り替えたいものだ。こんなときに便利なキー操作がある。

「Ctrl」キーを押しながら「PageDown」キーを押すと、右隣のシートへ表示を切り替えられる。同様に、「Ctrl」+「PageUp」キーで左隣のシートを表示できるので、覚えておこう（**図1**）。

■「Ctrl」+「PageUp」、「Ctrl」+「PageDown」でシートを切り替え

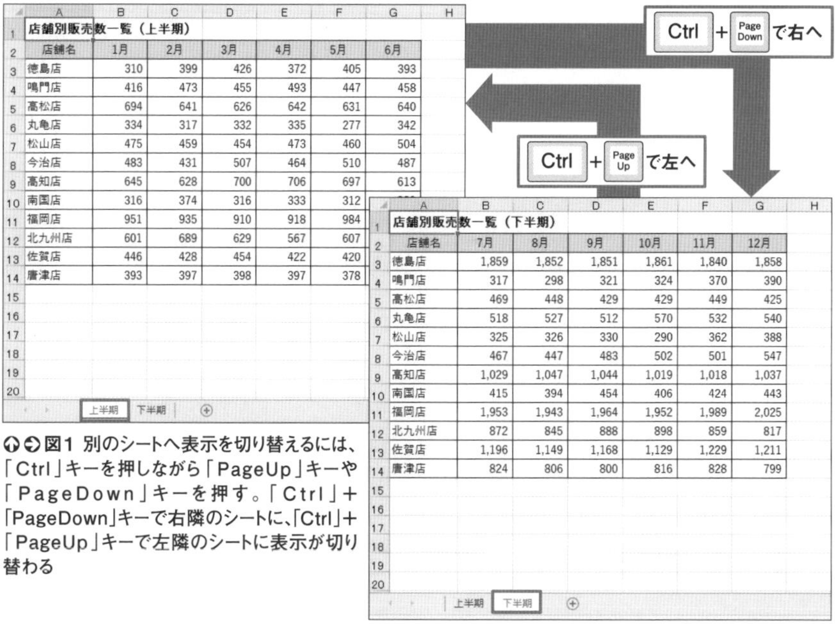

店舗別販売数一覧（上半期）

店舗名	1月	2月	3月	4月	5月	6月
徳島店	310	399	426	372	405	393
鳴門店	416	473	455	493	447	458
高松店	694	641	626	642	631	640
丸亀店	334	317	332	335	277	342
松山店	475	459	454	473	460	504
今治店	483	431	507	464	510	487
高知店	645	628	700	706	697	613
南国店	316	374	316	333	312	
福岡店	951	935	910	918	984	
北九州店	601	689	629	567	607	
佐賀店	446	428	454	422	420	
唐津店	393	397	398	397	378	

店舗別販売数一覧（下半期）

店舗名	7月	8月	9月	10月	11月	12月
徳島店	1,859	1,852	1,851	1,861	1,840	1,858
鳴門店	317	298	321	324	370	390
高松店	469	448	429	429	449	425
丸亀店	518	527	512	570	532	540
松山店	325	326	330	290	362	388
今治店	467	447	483	502	501	547
高知店	1,029	1,047	1,044	1,019	1,018	1,037
南国店	415	394	454	406	424	443
福岡店	1,953	1,943	1,964	1,952	1,989	2,025
北九州店	872	845	888	898	859	817
佐賀店	1,196	1,149	1,168	1,129	1,229	1,211
唐津店	824	806	800	816	828	799

↑→図1 別のシートへ表示を切り替えるには、「Ctrl」キーを押しながら「PageUp」キーや「PageDown」キーを押す。「Ctrl」+「PageDown」キーで右隣のシートに、「Ctrl」+「PageUp」キーで左隣のシートに表示が切り替わる

お役立ち度 ★★★★★

ダイアログボックス表示時に次のタブに切り替える

「Ctrl」キーを押しながら「Tab」キーを押すと、次のタブに切り替わる

ダイアログボックスを開いた際、どのタブに目的の機能があるかわからない。次々とタブを切り替えて確認したい──。そんなときはキー操作が便利だ。

「Ctrl」キーを押しながら「Tab」キーを押す。すると、次のタブに移動する（**図1**）。これを繰り返せば次々とタブを切り替えていける。最後のタブまでいったら、最初のタブに戻る。「Ctrl」キーと「Shift」キーを押しながら「Tab」キーを押すと、前のタブに戻る。

■「Ctrl」＋「Tab」でダイアログのタブを切り替えられる

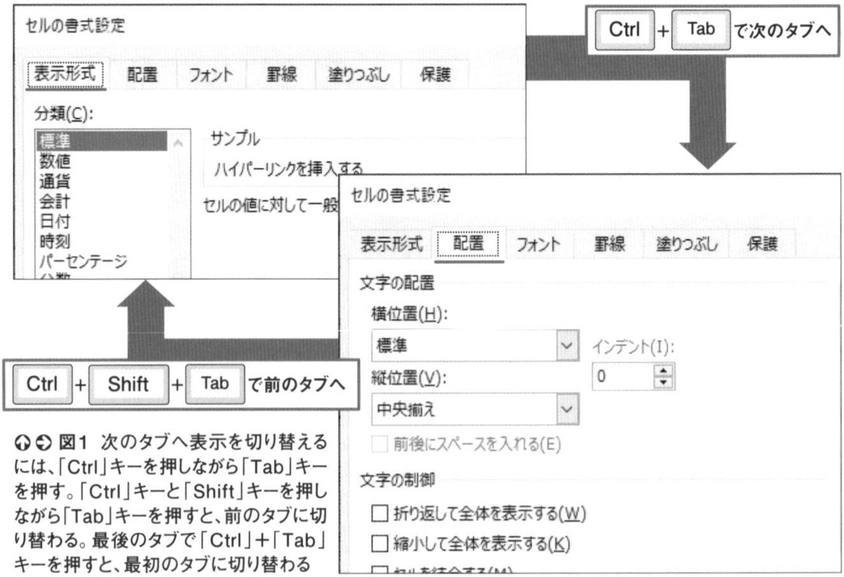

⇧⇨ **図1** 次のタブへ表示を切り替えるには、「Ctrl」キーを押しながら「Tab」キーを押す。「Ctrl」キーと「Shift」キーを押しながら「Tab」キーを押すと、前のタブに切り替わる。最後のタブで「Ctrl」＋「Tab」キーを押すと、最初のタブに切り替わる

お役立ち度 ★★★★★

漢字にふりがなを自動で付ける

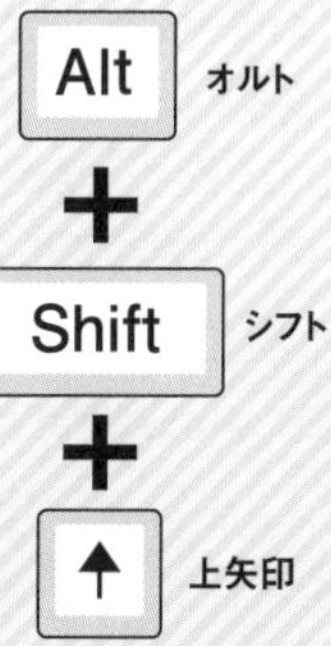

ふりがなが付いていないセルを選択し、「Alt」キーと「Shift」キーを押しながら「↑」（上矢印）キーを押す

エクセルで入力した漢字は、変換の際に入力した読みが、ふりがな情報として自動記録される。これで、五十音順での並べ替えなどができるわけだ。ところが、ほかのソフトからコピーした文字には、自動でふりがなが付かない。

こんなときは、「Alt」キーと「Shift」キーを押しながら「↑」（上矢印）キーを押すと、自動でふりがなを付けられる（**図1、図2**）。ただしこの操作は、複数のセルにまとめてはできない。

■「Alt」＋「Shift」＋「↑」でふりがなを付ける

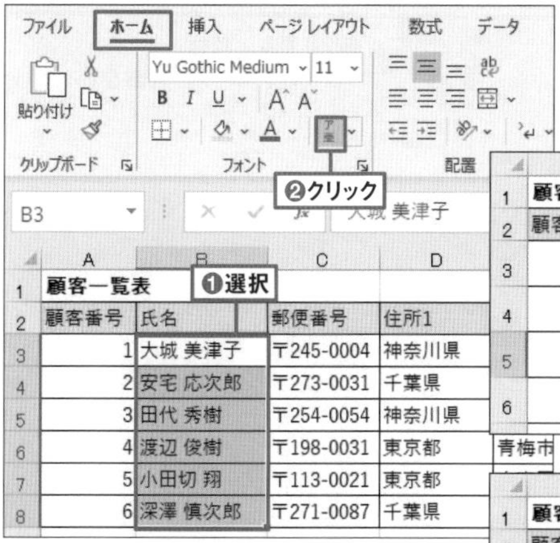

図1 まずは、ふりがな情報を表示しよう。表示したいセルをドラッグで選択し（❶）、「ホーム」タブの「ふりがなの表示／非表示」をクリックする（❷）

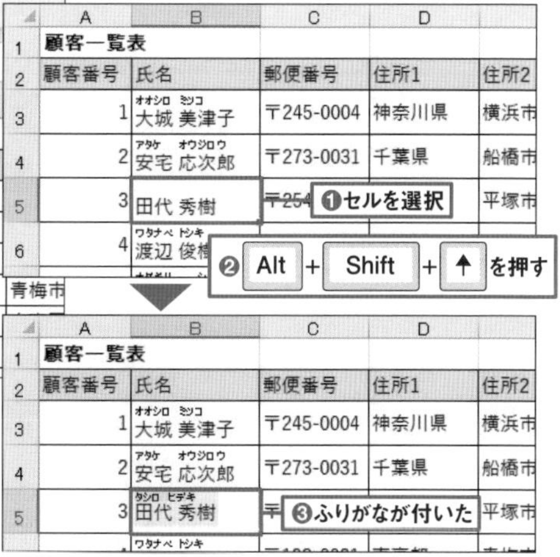

図2 ふりがなが付いていないセルを選択し（❶）、「Alt」キーと「Shift」キーを押しながら「↑」（上矢印）キーを押すと（❷）、ふりがなが自動で入力される（❸）。ふりがなが間違っているときは、直接クリックして手入力で修正しよう

お役立ち度 ★★★★★

「検索と置換」画面を表示する

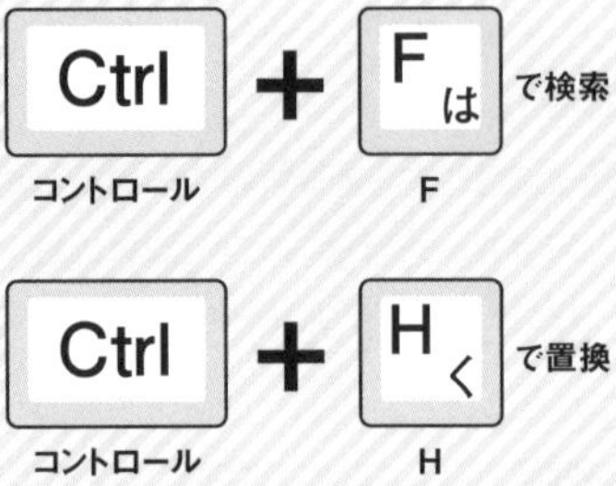

「Ctrl」キーを押しながら「F」キーを押すと検索、「Ctrl」キーを押しながら「H」キーを押すと置換の画面が開く

シート内を検索したい場合は、「Ctrl」キーを押しながら「F」キーを押す（**図1**）。すると、「検索と置換」画面の「検索」タブが開く。キーワードを入力して「Enter」キーを押すと、1つめの検索セルが選択される。画面内のボタン右横のアルファベットは、「Alt」キーを押しながら押すとその操作を実行できる。

置換したい場合は、「Ctrl」キーを押しながら「H」キーを押す。すると「検索と置換」の「置換」タブが開く（**図2**）。

■「Ctrl」＋「F」で検索、「Ctrl」＋「H」で置換

⊖図1 「Ctrl」キーを押しながら「F」キーを押すと（❶）、検索画面が開く（❷）。ブラウザーでページ内検索をするときと同様。「Find」（見つける）の「F」だ

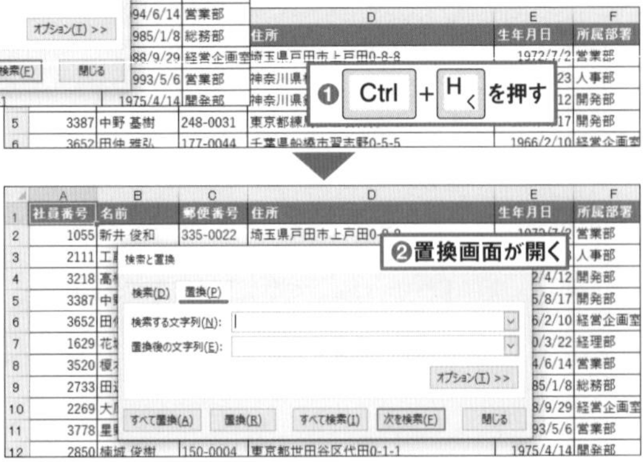

⊖図2 「Ctrl」キーを押しながら「H」キーを押すと（❶）、置換画面が開く（❷）

混《こ》んでいる、電車《でんしゃ》でH《えっち》な、痴漢《ちかん》にNO《ノー》!

Ctrl　H く　置換の画面を開く

Column アウトルックの「Ctrl」+「F」は…

「Ctrl」+「F」キーで検索、「Ctrl」+「H」キーで置換の機能を呼び出せるのは、ワードもエクセルも共通だ。ただしワードの場合、「Ctrl」+「F」キーで「検索と置換」ダイアログが開くのではなく、画面左側に「ナビゲーション」ウインドウが開いて、そこで検索する形になる。

一方、メールソフトのアウトルックでは注意が必要だ。アウトルックでは「Ctrl」+「F」キーで「メールの転送」になる。「Forward」(転送)の「F」だと考えられるが、この割り当てを決めたのはビル・ゲイツ氏だということだ。アウトルックでは「Ctrl」+「E」キーまたは「F4」キーで検索する。

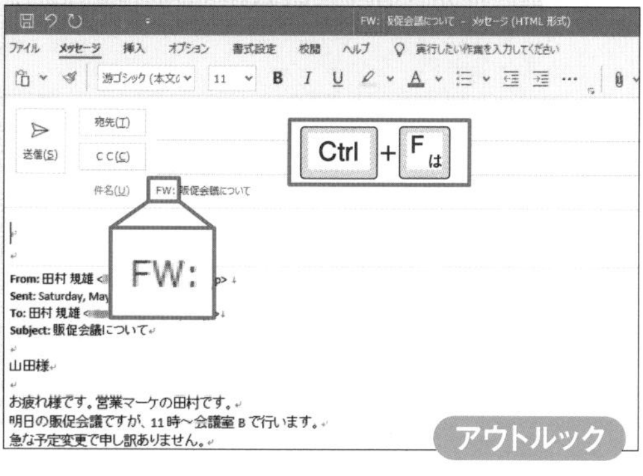

アウトルック

表をテーブルに変換する

お役立ち度 ★★★

「Ctrl」キーを押しながら「T」キーを押すと、表を「テーブル」に変換できる。「Table」の「T」と覚えておこう

表を「テーブル」に変換しておくと何かと便利だ。自動的にフィルターが設定されるので、データの絞り込みや並べ替えが簡単にできる。また、新しい行を追加する際も自動的にテーブルの範囲が拡張され、書式が引き継がれる。

キー操作でテーブルに変換するには、「Ctrl」キーを押しながら「T」キーを押す（**図1**）。変換する範囲を確認する画面が表示されるので、「Enter」キーを押すと瞬時にテーブルに変換される。

■「Ctrl」+「T」で表をテーブルに変換!

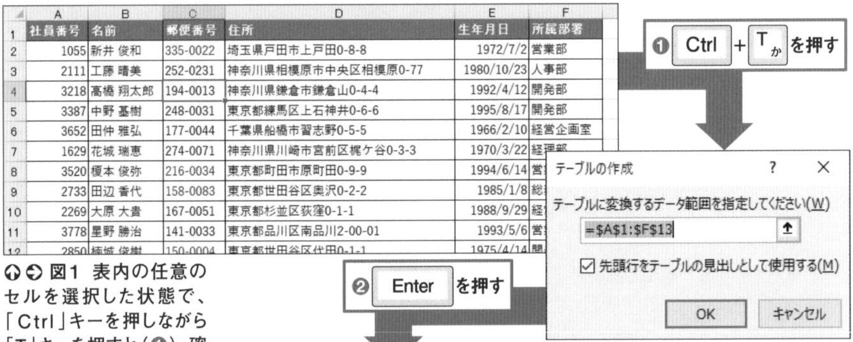

	A	B	C	D	E	F
1	社員番号	名前	郵便番号	住所	生年月日	所属部署
2	1055	新井 俊和	335-0022	埼玉県戸田市上戸田0-8-8	1972/7/2	営業部
3	2111	工藤 晴美	252-0231	神奈川県相模原市中央区相模原0-77	1980/10/23	人事部
4	3218	高橋 翔太郎	194-0013	神奈川県鎌倉市鎌倉山0-4-4	1992/4/12	開発部
5	3387	中野 基樹	248-0031	東京都練馬区上石神井0-6-6	1995/8/17	開発部
6	3652	田仲 雅弘	177-0044	千葉県船橋市習志野0-5-5	1966/2/10	経営企画室
7	1629	花城 瑞恵	274-0071	神奈川県川崎市宮前区梶ケ谷0-3-3	1970/3/22	経理部
8	3520	榎本 俊弥	216-0034	東京都町田市原町田0-9-9	1994/6/14	[illegible]
9	2733	田辺 香代	158-0083	東京都世田谷区奥沢0-2-2	1985/1/8	[illegible]
10	2269	大原 大貴	167-0051	東京都杉並区荻窪0-1-1	1988/9/29	[illegible]
11	3778	星野 勝治	141-0033	東京都品川区南品川2-00-01	1993/5/6	[illegible]
12	2850	[illegible]	150-0004	東京都世田谷区代田0-1-1	1975/4/14	[illegible]

図1 表内の任意のセルを選択した状態で、「Ctrl」キーを押しながら「T」キーを押すと（❶）、確認画面が表示される。範囲を確認して「Enter」キーを押すと（❷）、テーブルに変換される（❸）。「テーブルデザイン」タブの「縞模様（行）」のチェックをオフにすると縞模様が消える。そのほか「クイックスタイル」でデザインを変更できる

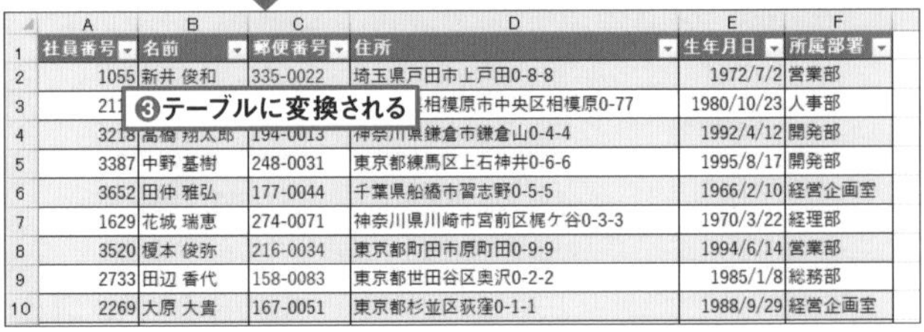

	A	B	C	D	E	F
1	社員番号	名前	郵便番号	住所	生年月日	所属部署
2	1055	新井 俊和	335-0022	埼玉県戸田市上戸田0-8-8	1972/7/2	営業部
3	[illegible]	[illegible]	[illegible]	[illegible]	1980/10/23	人事部
4	3218	高橋 翔太郎	194-0013	神奈川県鎌倉市鎌倉山0-4-4	1992/4/12	開発部
5	3387	中野 基樹	248-0031	東京都練馬区上石神井0-6-6	1995/8/17	開発部
6	3652	田仲 雅弘	177-0044	千葉県船橋市習志野0-5-5	1966/2/10	経営企画室
7	1629	花城 瑞恵	274-0071	神奈川県川崎市宮前区梶ケ谷0-3-3	1970/3/22	経理部
8	3520	榎本 俊弥	216-0034	東京都町田市原町田0-9-9	1994/6/14	営業部
9	2733	田辺 香代	158-0083	東京都世田谷区奥沢0-2-2	1985/1/8	総務部
10	2269	大原 大貴	167-0051	東京都杉並区荻窪0-1-1	1988/9/29	経営企画室

お役立ち度 ★★★★★

ハイパーリンクを設定する

セルを選択し、「Ctrl」キーを押しながら「K」キーを押す。「link」(リンク)の末尾の「K」と覚えよう

ハイパーリンクとは、その文字列をクリックするとウェブページを表示したり、メールアドレスを入力した状態でメールソフトが開いたりする便利なもの。

ハイパーリンクを設定するには、セルを選択して「Ctrl」キーを押しながら「K」キーを押そう。「ハイパーリンクの挿入」画面が開くので、URLやメールアドレスなどを入力または貼り付ければよい(**図1**)。すると、そのセルをクリックすればウェブページなどを表示できる。

■「Ctrl」+「K」でハイパーリンクを設定

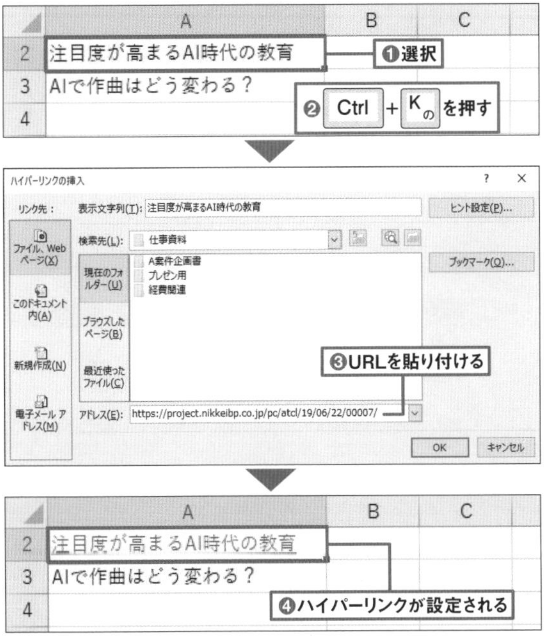

⊖ **図1** ハイパーリンクを設定したいセルを選択した状態で、「Ctrl」キーを押しながら「K」キーを押す(❶❷)。すると、ハイパーリンク挿入画面が開くので、ここにURLなどを貼り付けて確定する(❸)。これで選択したセルにハイパーリンクが設定される(❹)

お役立ち度 ★★★★★

「名前の管理」画面を表示する

「Ctrl」キーを押しながら「F3」キーを押す

表(セル範囲)に名前を付けておくと、関数の引数に指定する際にもわかりやすくてミスが少なくなる。

セル範囲に名前を付けるには、それを指定した状態で「名前ボックス」に任意の名前を入力すればよい。どの範囲にどんな名前を付けたのかがわからなくなったり、一覧で確認したりしたい場合は「名前の管理」画面を使う。キー操作では「Ctrl」キーを押しながら「F3」キーを押せばこの画面が開く(**図1**)。

■「Ctrl」+「F3」で「名前の管理」画面を開ける

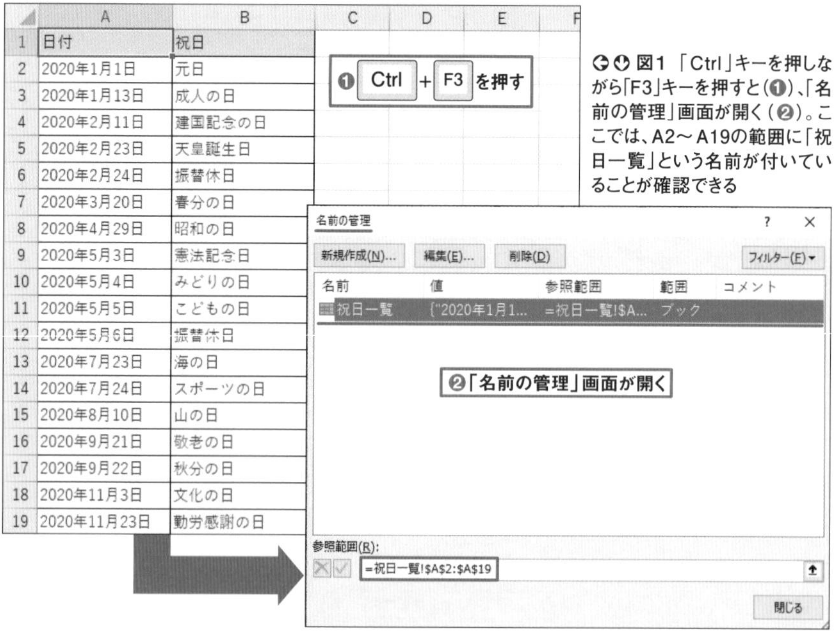

⬅⬇ **図1** 「Ctrl」キーを押しながら「F3」キーを押すと(❶)、「名前の管理」画面が開く(❷)。ここでは、A2〜A19の範囲に「祝日一覧」という名前が付いていることが確認できる

お役立ち度 ★★★★★

合計を求める式を自動で入力する

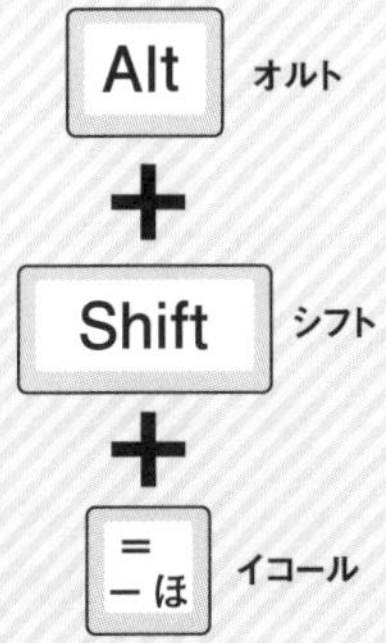

合計セルを選択し、「Alt」キーと「Shift」キーを押しながら「=」(イコール)キーを押す

エクセルで最もよく使う関数は、合計を求める「SUM関数」ではないだろうか。そのため、「オートSUM」というメニューが用意されている。

実は、この「オートSUM」はメニューからだけでなく、キー操作で実行することもできる。合計を求めるセルを選択した状態で、「Alt」キーと「Shift」キーを押しながら「=」(イコール)キーを押す。すると、自動的に範囲が設定された状態でSUM関数が入力される(**図1**)。

■「Alt」+「Shift」+「=」で合計を求める

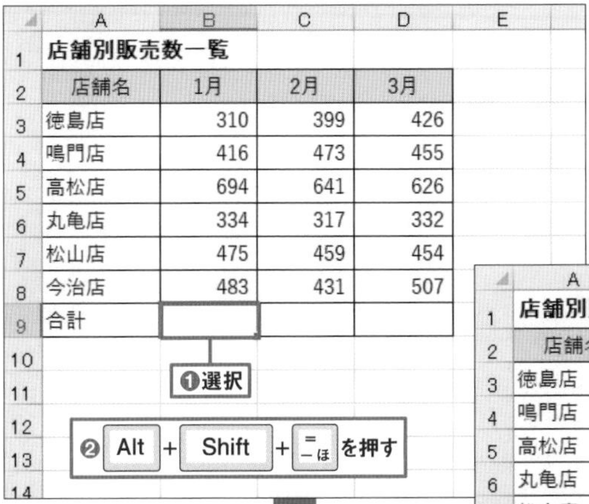

	A	B	C	D	E
1	店舗別販売数一覧				
2	店舗名	1月	2月	3月	
3	徳島店	310	399	426	
4	鳴門店	416	473	455	
5	高松店	694	641	626	
6	丸亀店	334	317	332	
7	松山店	475	459	454	
8	今治店	483	431	507	
9	合計				
10					
11					
12					
13					
14					

	A	B	C	D
1	店舗別販売数一覧			
2	店舗名	1月	2月	3月
3	徳島店	310	399	426
4	鳴門店	416	473	455
5	高松店	694	641	626
6	丸亀店	334	317	332
7	松山店	475	459	454
8	今治店	483	431	507
9	合計	=SUM(B3:B8)		
10		SUM(数値1, [数値2], ...)		
11				

↑↓ 図1 合計を求めるセルを選択した状態で、「Alt」キーと「Shift」キーを押しながら「=」(イコール)キーを押す(❶❷)。すると、自動的に範囲が設定された状態でSUM関数が入力される(❸)。もし範囲が間違っていたらドラッグし直せばよい。「Enter」キーで確定する

数式のセル番地を絶対参照にする

F4

数式の中にカーソルを置いて「F4」キーを押すと、セル番地を絶対参照にできる

数式のセル参照には「相対参照」と「絶対参照」がある。セルをコピーしたときに自動でずれるか、ずれずに固定されているかの違いがある。

図1は相対参照で、横にコピーすると自動的にずれていくのが正しい。しかし**図2**の場合は、消費税10%のセルは固定なので、数式中の「G3」は絶対参照にする必要がある。「G3」にカーソルを置いた状態で「F4」キーを押すと、「$」が挿入され、絶対参照となる(**図3**)。

■「F4」キーで$を付けて絶対参照に!

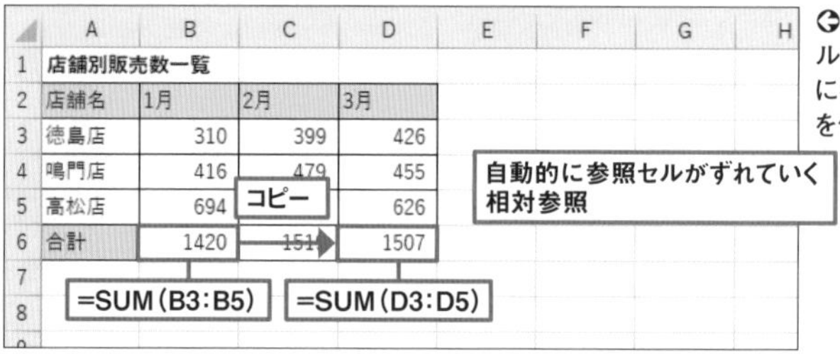

図1 このような場合は、B6セルを右方向にコピーすると自動的に参照セルがずれる「相対参照」を使う

図2 E3セルの式を下にコピーする場合は、消費税10%はどの行からも参照したいため、数式中の「G3」は「絶対参照」にする必要がある。「G3」のGの前、Gと3の間、3の後ろのいずれかにカーソルを置いた状態で「F4」キーを押す

図3 数式中の「G3」が「G3」となり、絶対参照となる。手入力するよりはるかに時短だ。こうしておくと、数式を下方向にコピーしても「G3」の部分はずれない

ファンキーな、4足歩行《よんそくほこう》の、サンショウウオ

F4

参照形式の切り替え

Column 参照形式が順番に切り替わる

数式の中でセル参照にカーソルを合わせて「F4」キーを押すと、「$」記号を挿入して絶対参照にできる。このとき、さらに「F4」キーを押すと、「B2」→「B$2」→「$B2」→「B2」のように、「$」記号の付き方が順に切り替わる。「B$2」の状態なら「2」の部分（行）、「$B2」の状態なら「B」の部分（列）だけを固定してコピーできる。これを「複合参照」と呼ぶ。こうして参照形式を素早く切り替えられるのが「F4」キーの便利なところだ。

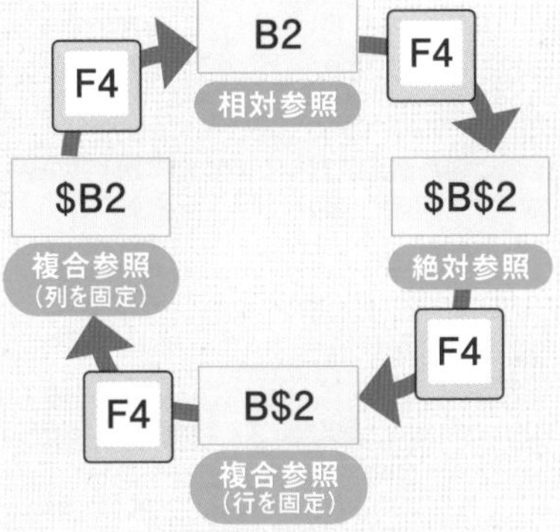

お役立ち度 ★★★★★

関数入力時、引数名とカッコを表示する

関数名を入力して、「Ctrl」キーと「Shift」キーを押しながら「A」キーを押す

関数の引数がうろ覚えの場合に、それをサポートしてくれる機能がある。

「＝」と関数名を入力した状態で、「Ctrl」キーと「Shift」キーを押しながら「A」キーを押す（**図1**）。すると、カッコを自動で挿入してくれるうえ、引数名も表示される（**図2**）。

カッコを入力する手間が省けるだけでなく、サジェスチョンしてくれるので、引数を思い出しやすくなる。あとはそれに従って引数を入力していけばよい（**図3**）。

「Ctrl」＋「Shift」＋「A」で関数のカッコと引数名を表示

図1 「＝」と関数名を入力した状態で「Ctrl」キーと「Shift」キーを押しながら「A」キーを押す

図2 カッコが入力され、引数名が表示される

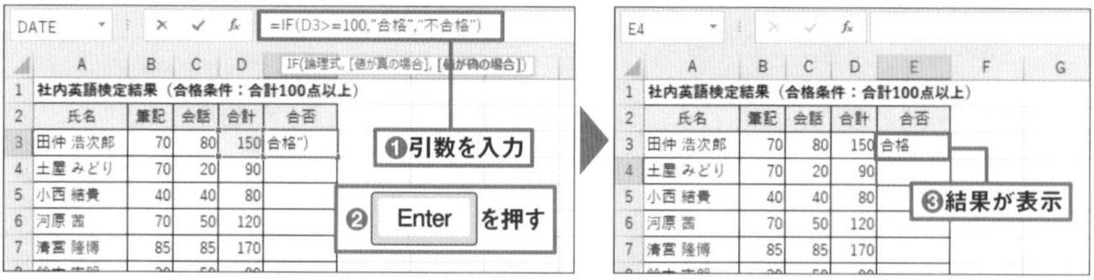

図3 引数名に従って式や値などを入力すれば関数式が完成する（❶～❸）

お役立ち度 ★★★★★

縦棒グラフを作成する

グラフにしたい表を選択して「Alt」キーを押しながら「F1」キーを押す

表からグラフを作成することは多い。メニューを使うなら「挿入」タブの「グラフ」グループからグラフの種類を選び、さらにもう一度詳細な種類を選ぶ。

キー操作なら、「Alt」キーを押しながら「F1」キーを押すと、一発で縦棒グラフを作成できる（**図1**）。「F11」キーを押すと、グラフ専用シートに作成される。グラフの種類を変更したい場合は、グラフ選択時に開いているメニューの「グラフの種類の変更」を使う（**図2**）。

■「Alt」＋「F1」で即座に縦棒グラフが作成できる

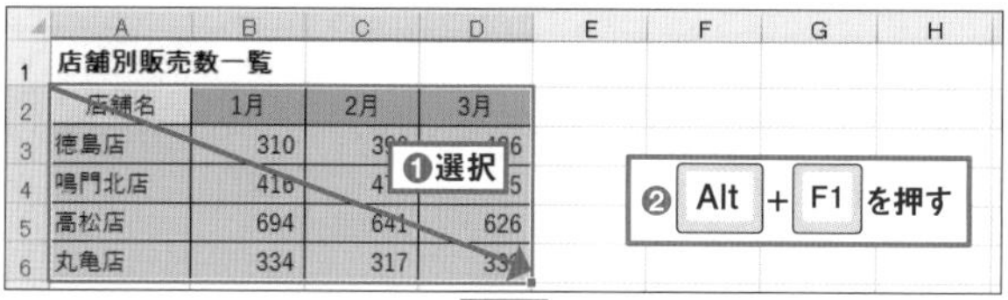

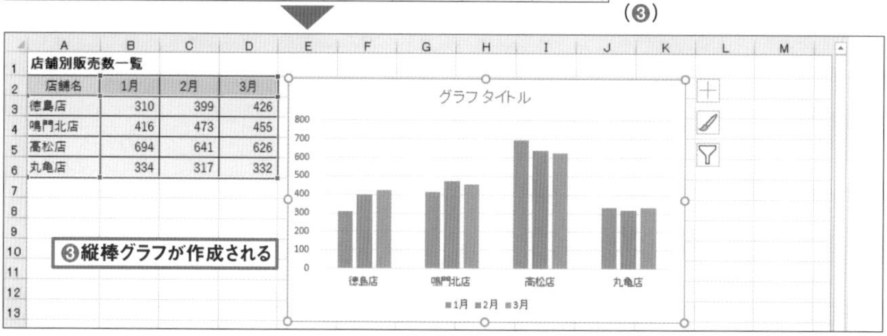

➊➋図1　グラフにしたい表を選択し（❶）、「Alt」キーを押しながら「F1」キーを押す（❷）。これで縦棒グラフを一発で作成できる（❸）

➌ 図2　グラフの種類を変更する場合は、グラフ作成後に自動的に開く「グラフのデザイン」タブの「グラフの種類の変更」をクリックすればよい

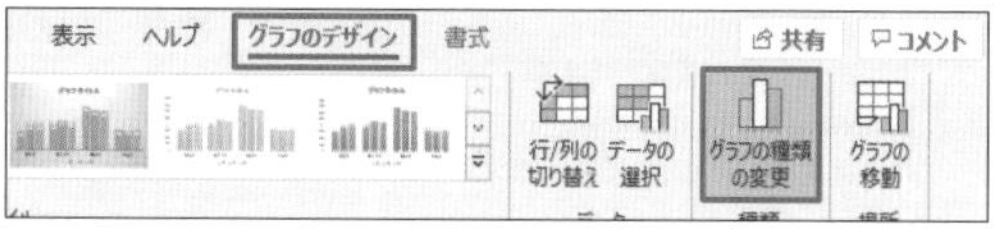

お役立ち度 ★★★★★

図形のサイズを変更する

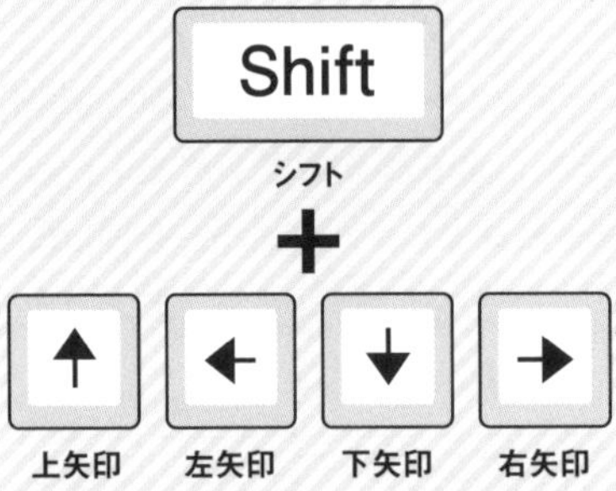

図形を選択し、「Shift」キーを押ながら矢印キーを押す

図形のサイズを変更するには、マウスのドラッグ操作だけでなく、キー操作でも可能だ。「Shift」キーを押しながら矢印キーを押せばよい（**図1、図2**）。「↑」（上矢印）キーなら縦方向に拡大、「→」（右矢印）キーなら横方向に拡大となる。「↓」や「←」だと縮小だ。

これらの操作の場合、一定の間隔で拡大・縮小されるが、もっと細かく調整したい場合は、「Shift」キーと「Ctrl」キーを押しながら矢印キーを押そう。

「Shift」+矢印キーで図形のサイズを変更

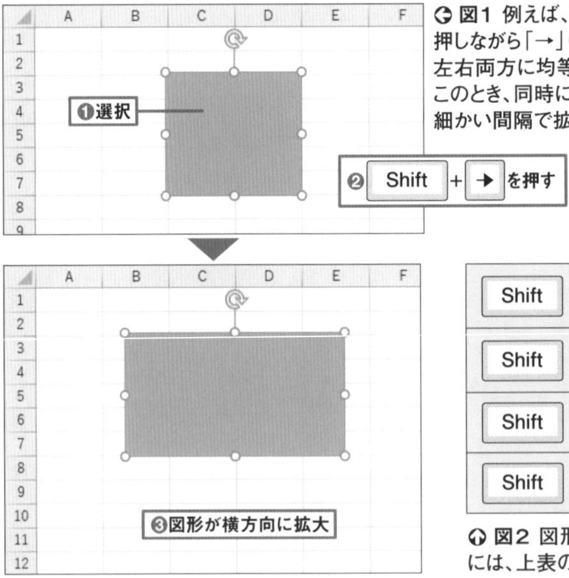

図1 例えば、図形を選択して「Shift」キーを押しながら「→」（右矢印）キーを押すと（❶❷）、左右両方に均等に横方向へ拡大できる（❸）。このとき、同時に「Ctrl」キーも押しておくと、より細かい間隔で拡大が可能だ

Shift + →	横方向へ拡大
Shift + ↑	縦方向へ拡大
Shift + ←	横方向へ縮小
Shift + ↓	縦方向へ縮小

図2 図形のサイズを変更するキー操作には、上表のようなものがある

お役立ち度
★★★★★

描いた図形を回転する

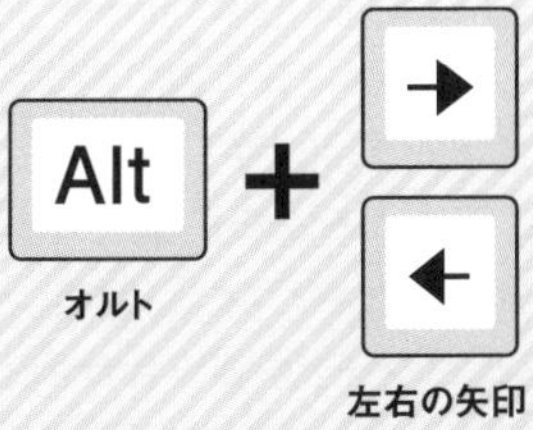

「Alt」キーを押しながら「→」(右矢印)キーを押すと右に回転、「Alt」キーを押しながら「←」(左矢印)キーを押すと左に回転する

描いた図形を回転させるのも、キー操作でできる。図形を選択して、「Alt」キーを押しながら、「→」(右矢印)キーを押すと右へ回転する(**図1**)。左に回転させたい場合は、「Alt」キーを押しながら「←」(左矢印)キーを押せばよい(**図2**)。

「Alt」+左右矢印キーでは、押すごとに15度ずつ回転できるが、もっと細かい単位で回転したいときは、「Alt」キーと「Ctrl」キーを押しながら左右矢印キーを押せばよい。

■「Alt」+左右矢印キーで図形を15度ずつ回転

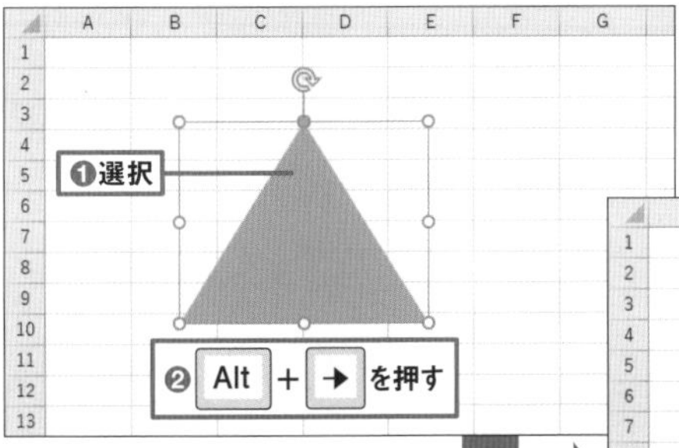

図1 図形をキー操作で回転するには、まず図形を選択(❶)。右に回転する場合は「Alt」キーを押しながら「→」(右矢印)キーを押す(❷)。図形を右に15度回転できる(❸)

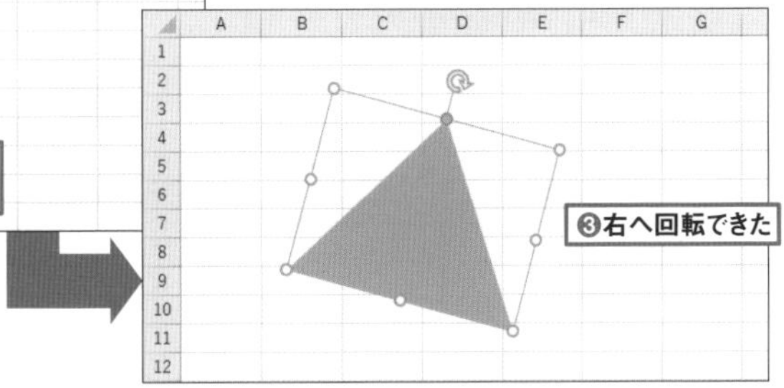

図2 左に回転するには「Alt」キーを押しながら「←」(左矢印)キーを押せばよい。6回押すと、90度回転できる

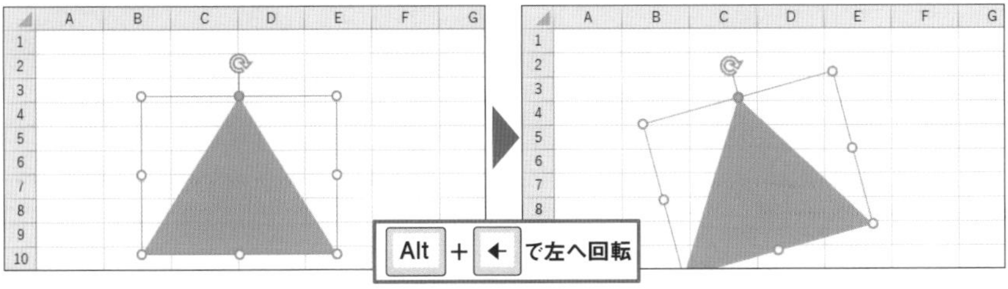

マウスとキーボードの組み合わせで時短

キーを組み合わせて操作する「ショートカット」は、その名の通り「ショートカット＝近道」で、メニューからたどるよりも圧倒的に速い。ショートカットはキーだけでなく、キーとマウスの組み合わせで実現できるものもある。

例えばエクセルの場合、セル範囲を選択して「Ctrl」キーを押しながらドラッグすると、その範囲を丸ごとコピーできる（**図1**）。これをメニューから行おうとすると、セル範囲をドラッグし、右クリックしてコピーを選択。貼り付けたい位置の左上にアクティブセルを移動し、右クリックして貼り付けオプションの中から適切な貼り付け方法を選ぶ必要がある。

キー＋マウスの操作は速いだけでなく、直感的だ。「Shift」キー＋マウスのドラッグは、移動する位置が緑色の線で示され、非常にわかりやすい（**図2**）。

マウスとキーボードの組み合わせワザはエクセルだけにとどまらない。「Ctrl」キー＋ドラッグでコピーできるのは、ワード（文字列のコピー）やエクスプローラー（ファイルのコピー）でも同様だ。

●セル範囲をコピー

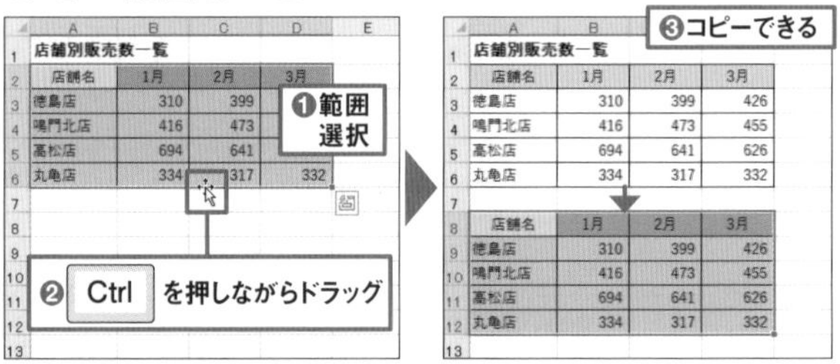

⊖ **図1** ドラッグして範囲を選択し（❶）、その端の、マウスポインターが十字矢印になる部分を「Ctrl」キーを押しながらドラッグすると（❷）、セル範囲をコピーできる（❸）

●セル範囲を移動／入れ替え

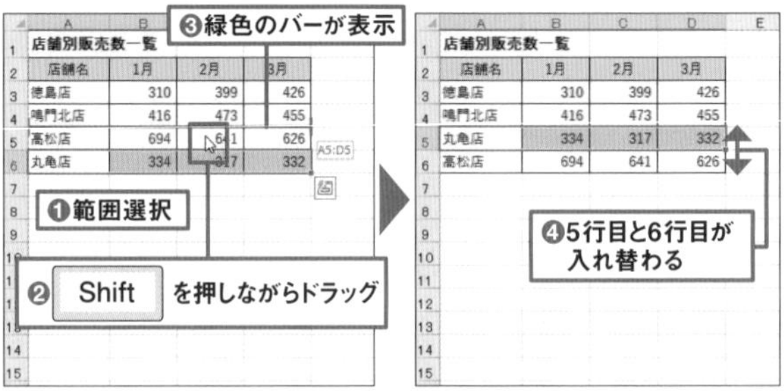

⊖ **図2** ドラッグして範囲を選択し（❶）、その端にマウスポインターを近づけると十字矢印に変わる。「Shift」キーを押しながらドラッグすると（❷）、緑色のバーが表示される（❸）。移動したい位置にこのバーを合わせてマウスのボタンを離す（❹）

4章

ワード

文章の入力・編集がメインのワードでは、
文字列を切り取って別の場所に貼り付けたり、
書式を設定したり解除したりと大忙し。
そういった操作もメニューから選ぶより
ショートカットキーのほうが断然速い。

文字列をコピーする、切り取る、貼り付ける

お役立ち度 ★★★★★

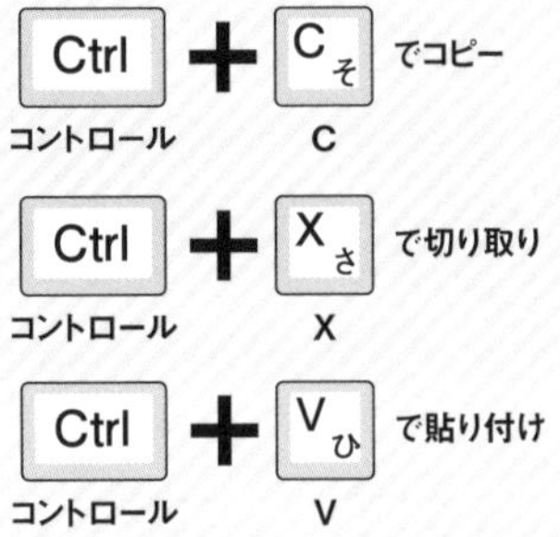

Ctrl + C そ でコピー
コントロール C
Ctrl + X さ で切り取り
コントロール X
Ctrl + V ひ で貼り付け
コントロール V

「Ctrl」キーを押しながら「C」キーを押すとコピー、同様に「X」キーなら切り取り、「V」キーで貼り付けだ

文字列をコピーしたり切り取ったりして別の場所に貼り付ける際、右クリックメニューだと手間がかかって仕方がない。

そんなときはショートカットキーの出番だ。範囲を選択した後に「Ctrl」キーを押しながら「C」キー、または「Ctrl」+「X」キーを押す。そして貼り付けたい場所で「Ctrl」+「V」キーを押すとその場所にコピーまたは移動ができる（**図1、図2**）。右手でマウス、左手でキーボードを使えばかなりの時短になる。

■「Ctrl」+「C」でコピー、「Ctrl」+「X」で切り取り、「Ctrl」+「V」で貼り付け

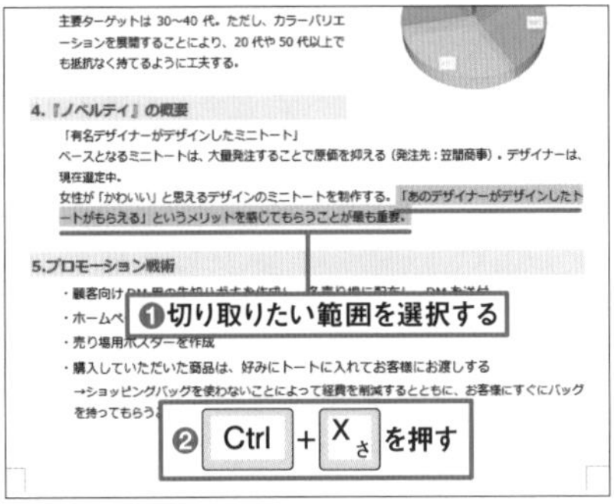

主要ターゲットは 30~40 代。ただし、カラーバリエーションを展開することにより、20 代や 50 代以上でも抵抗なく持てるように工夫する。
4.『ノベルティ』の概要
「有名デザイナーがデザインしたミニトート」
ベースとなるミニトートは、大量発注することで原価を抑える（発注先：笠間商事）。デザイナーは、現在選定中。
女性が「かわいい」と思えるデザインのミニトートを制作する。「あのデザイナーがデザインしたトートがもらえる」というメリットを感じてもらうことが最も重要。
5.プロモーション戦術
・売り場用ポスターを作成
・購入していただいた商品は、好みにトートに入れてお客様にお渡しする
→ショッピングバッグを使わないことによって経費を削減するとともに、お客様にすぐにバッグを持ってもらう
❶切り取りたい範囲を選択する
❷ Ctrl + X さ を押す

図1 切り取りたい範囲を選択し（❶）、「Ctrl」キーを押しながら「X」キーを押す（❷）。コピーの場合は「Ctrl」キーを押しながら「C」キーだ

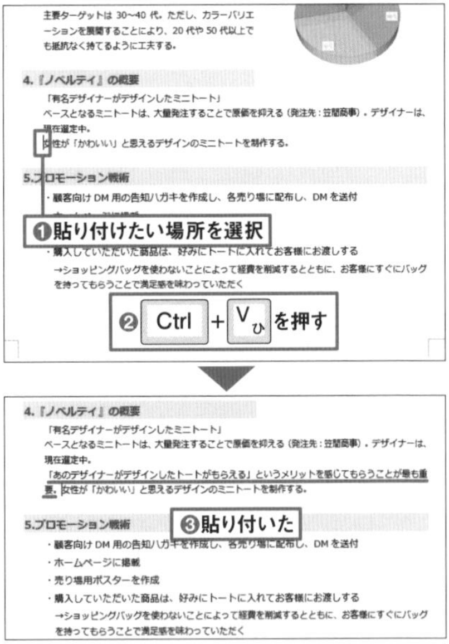

❶貼り付けたい場所を選択
❷ Ctrl + V ひ を押す
4.『ノベルティ』の概要
「有名デザイナーがデザインしたミニトート」
ベースとなるミニトートは、大量発注することで原価を抑える（発注先：笠間商事）。デザイナーは、現在選定中。
「あのデザイナーがデザインしたトートがもらえる」というメリットを感じてもらうことが最も重要。女性が「かわいい」と思えるデザインのミニトートを制作する。
5.プロモーション戦術
❸貼り付いた
・顧客向け DM 用の告知ハガキを作成し、各売り場に配布し、DM を送付
・ホームページに掲載
・売り場用ポスターを作成
・購入していただいた商品は、好みにトートに入れてお客様にお渡しする
→ショッピングバッグを使わないことによって経費を削減するとともに、お客様にすぐにバッグを持ってもらうことで満足感を味わっていただく

図2 貼り付けたい場所をクリックし（❶）、「Ctrl」キーを押しながら「V」キーを押す（❷）。すると、切り取った（あるいはコピーした）文字列が貼り付く（❸）

お役立ち度 ★★★★

書式をコピーして書式だけを貼り付ける

Ctrl（コントロール）＋Shift（シフト）＋C（C）で書式コピー

Ctrl（コントロール）＋Shift（シフト）＋V（V）で書式のみ貼り付け

「Ctrl」キーと「Shift」キーを押しながら「C」キーで書式をコピーし、「Ctrl」キーと「Shift」キーを押しながら「V」キーを押して書式のみ貼り付ける

文字列をコピーして貼り付けするには、左ページで紹介したように「Ctrl」+「C」キーでコピー、「Ctrl」+「V」キーで貼り付けという操作だ。

それに対して、書式だけを貼り付けるキー操作もある。まずは「Ctrl」キーと「Shift」キーを押しながら「C」キーを押して書式をコピーする（**図1**）。そして貼り付け先で「Ctrl」キーと「Shift」キーを押しながら「V」キーを押すと、文字はそのままで書式のみが貼り付く（**図2**）。

■「Ctrl」+「Shift」+「C」と「Ctrl」+「Shift」+「V」で書式のみ貼り付け

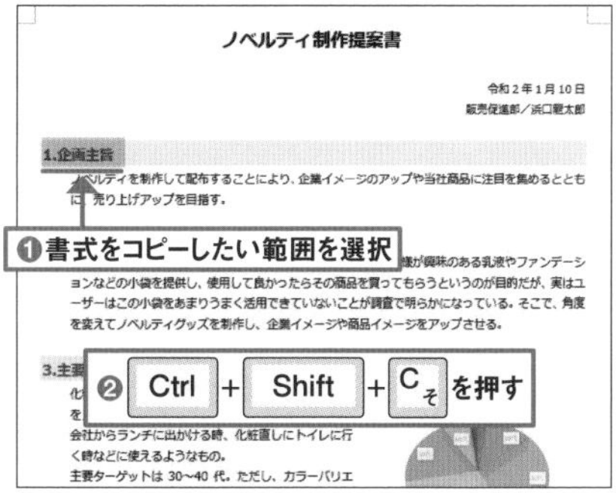

⇧ 図1 書式をコピーしたい範囲を選択し（❶）、「Ctrl」キーと「Shift」キーを押しながら「C」キーを押す（❷）

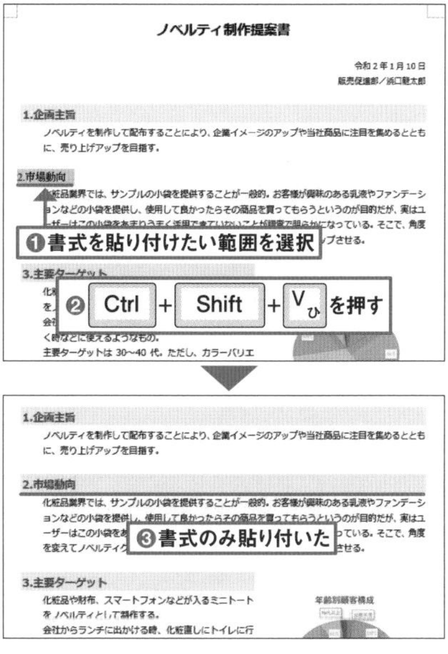

⇨ 図2 貼り付けたい範囲を選択し（❶）、「Ctrl」キーと「Shift」キーを押しながら「V」キーを押す（❷）。すると、書式のみが貼り付く（❸）

お役立ち度 ★★★★★

すべてのドキュメントを選択する

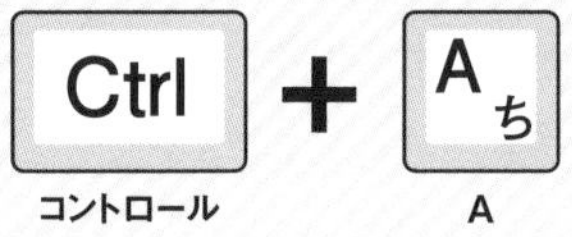

「Ctrl」キーを押しながら「A」キーを押す

エクスプローラーでも「Ctrl」キーを押しながら「A」キーを押すと、ファイルをすべて選択できる（22ページ参照）。また、エクセルでも「Ctrl」+「A」（または「Ctrl」+「Shift」+「:」）キーを押すと、表全体を選択できる（89ページ参照）。

ワードでも「Ctrl」キーを押しながら「A」キーを押すと、すべてのドキュメントを選択できる（**図1**）。別のファイルに貼り付けたいときなどに、全選択後、コピー→貼り付け操作をすればよい。

■「Ctrl」+「A」ですべてのドキュメントを選択!

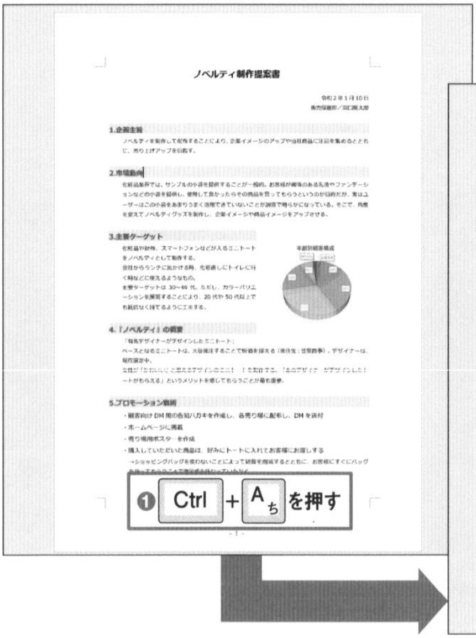

⬅⬇図1 「Ctrl」キーを押しながら「A」キーを押すと（❶）、すべてのドキュメントを選択できる（❷）

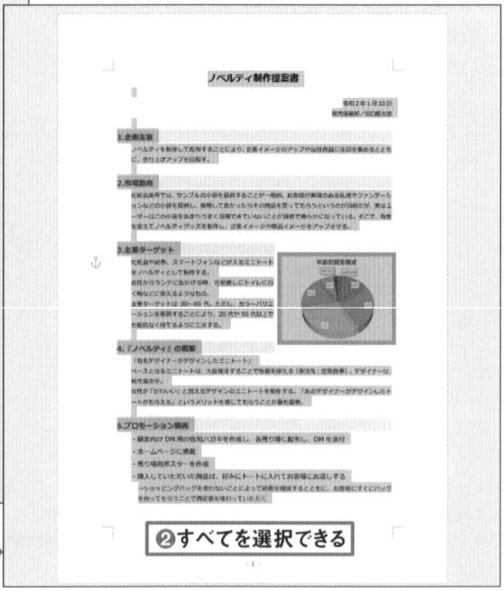

お役立ち度 ★★★★★

太字や下線などを素早く設定する

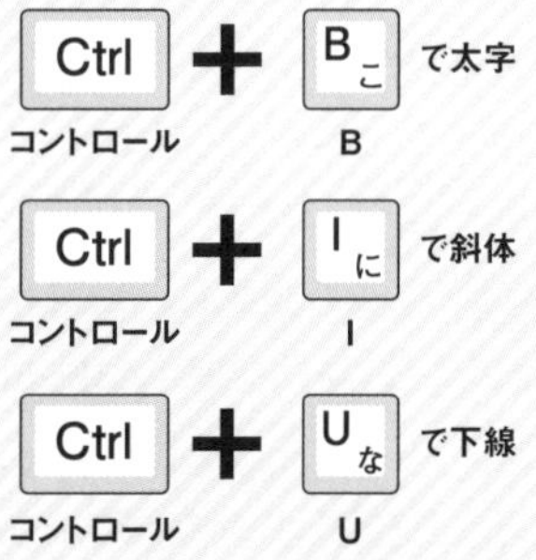

「Ctrl」キーを押しながら「B」キーを押すと太字、「B」を「I」に変えると斜体、「U」に変えると下線が設定される

ワードで文字列に装飾を施したいことは多々ある。そんなときは、メニューから選ぶほかに、ショートカットキーでも操作可能だ。

文字列を選択し、「Ctrl」キーを押しながら「B」キーを押すと太字を設定できる（**図1**）。また、「Ctrl」キーを押しながら「I」キーを押すと斜体が（**図2**）、「Ctrl」キーを押しながら「U」キーを押すと下線が設定される（**図3**）。「Bold」の「B」、「Italic」の「I」、「Underline」の「U」だ。

■「Ctrl」+「B」で太字

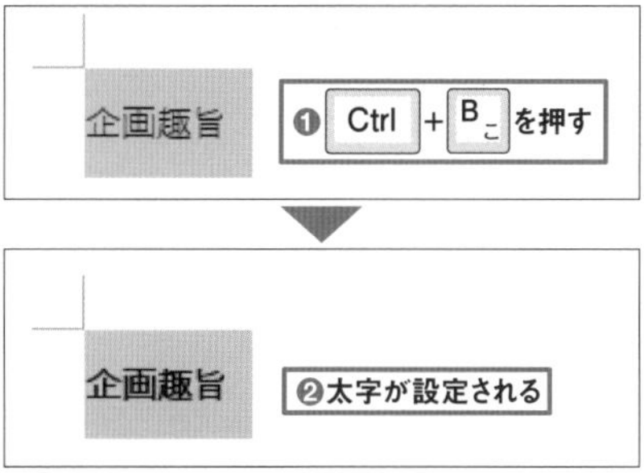

図1 「Ctrl」キーを押しながら「B」キーを押すと（❶）、太字を設定できる（❷）

■「Ctrl」+「I」で斜体

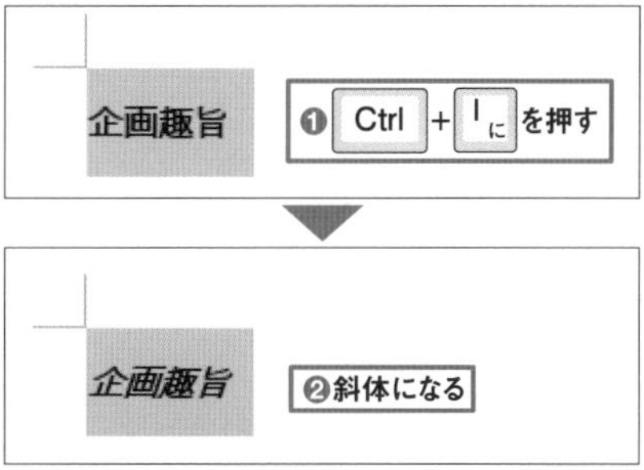

図2 「Ctrl」キーを押しながら「I」キーを押すと（❶）、斜体が設定される（❷）

■「Ctrl」+「U」で下線

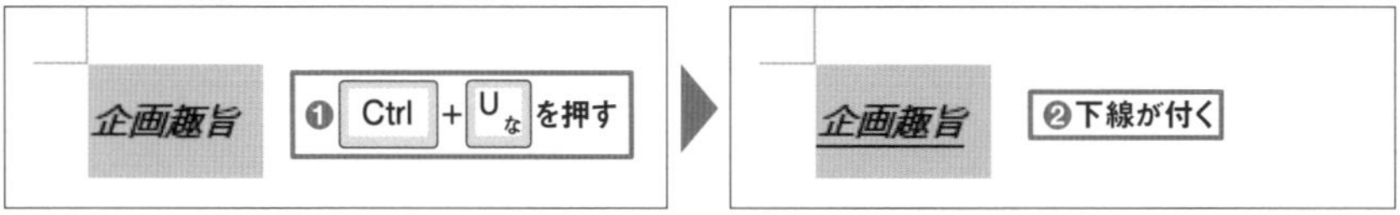

図3 「Ctrl」キーを押しながら「U」キーを押すと（❶）、下線が設定される（❷）

お役立ち度 ★★★★★

文字列を中央揃え、右揃え、左揃えにする

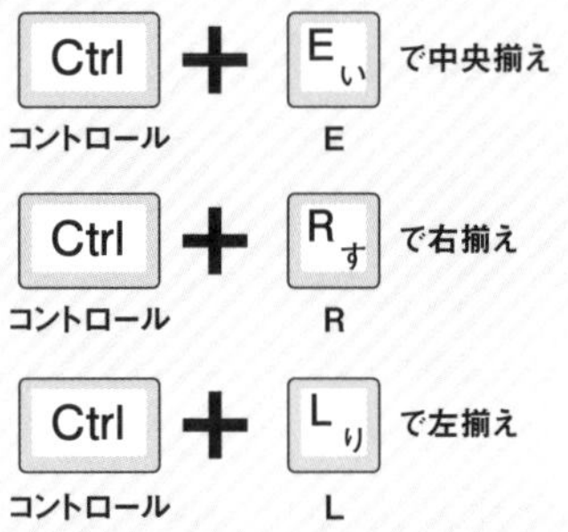

「Ctrl」キーを押しながら「E」キーを押すと中央揃え、「E」を「R」に変えると右揃え、「L」に変えると左揃えとなる

前ページでは、文字列に装飾を施すショートカットキーを紹介したが、文字列を右揃えするなどの配置にもショートカットキーが使える。

対象の文字列を選択し、「Ctrl」キーを押しながら「E」キーを押すと中央揃えとなり（**図1**）、「Ctrl」キーを押しながら「R」キーを押すと右揃えとなる（**図2**）。左揃えに戻したい場合は「Ctrl」キーを押しながら「L」キーを押す。「Right」の「R」、「Left」の「L」と覚えよう。

■「Ctrl」＋「E」で中央揃え

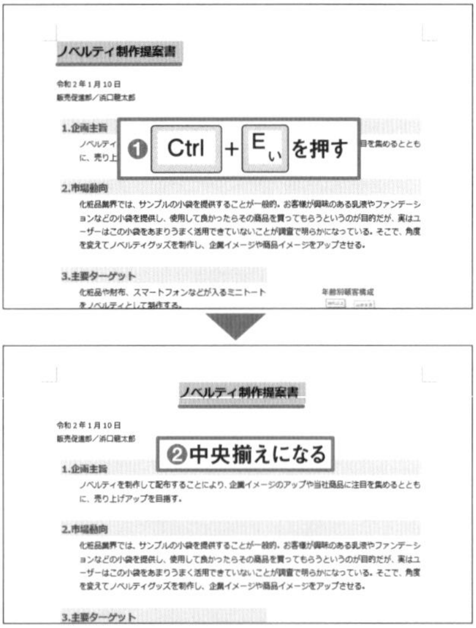

図1 対象の文字列を選択し、「Ctrl」キーを押しながら「E」キーを押すと（❶）、中央揃えとなる（❷）

■「Ctrl」＋「R」で右揃え

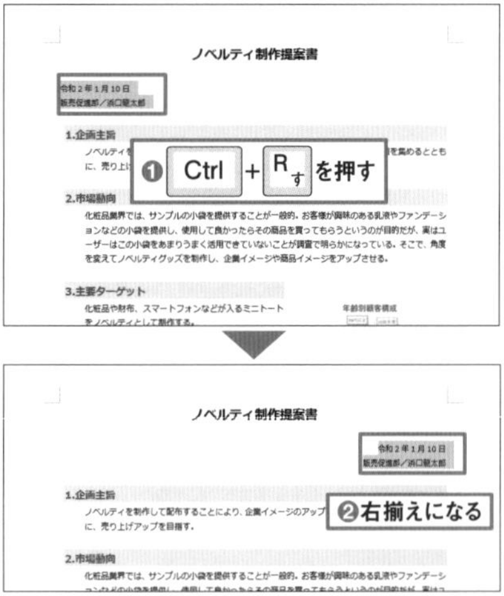

図2 「Ctrl」キーを押しながら「R」キーを押すと（❶）、右揃えとなる（❷）。中央揃えや右揃えにした行を左揃えに戻す場合は「Ctrl」キーを押しながら「L」キーを押す

近藤《こんどう》さん、右《みぎ》か左《ひだり》か、い〜え真《ま》ん中《なか》

Ctrl　E い　センタリング

Column 「左揃え」と「両端揃え」を使い分ける

タイトルや日付など、短い文や単語をレイアウトする際は、「左揃え」「中央揃え」「右揃え」の3種類が有効だ。一方、本文など数行にわたる文章のレイアウトに有効なのが「両端揃え」。実はワードの本文は、標準で「両端揃え」に設定されている。

「両端揃え」は一見「左揃え」と似ているが、右端の折り返し部分に違いが出る。「両端揃え」の場合、右端がきれいに揃うように、各行の文字が均等に配置されるのだ。なお、「両端揃え」は「Ctrl」+「J」というショートカットキーで設定できる。

左揃え

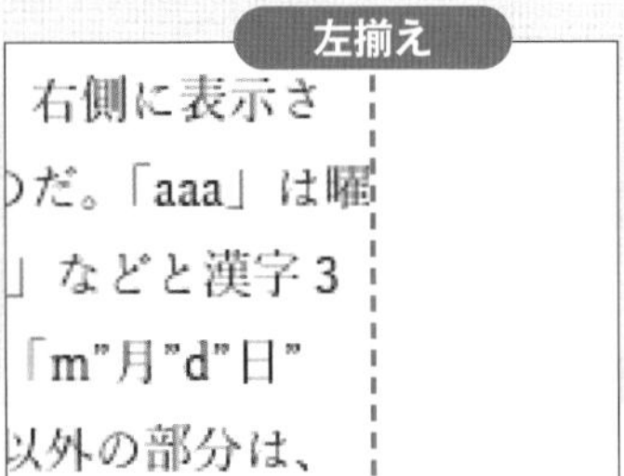

両端揃え

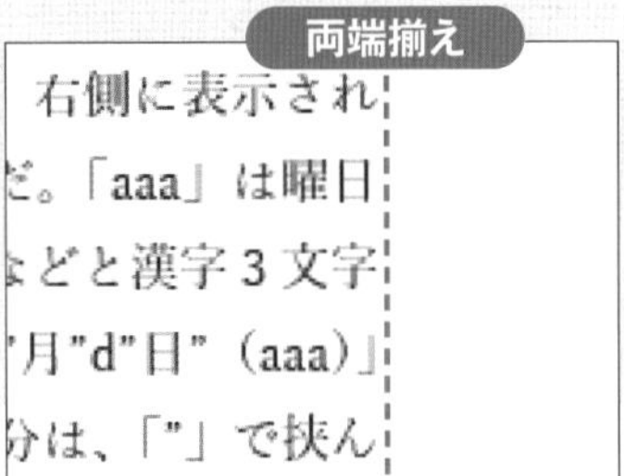

お役立ち度 ★★★★

インデントを設定する

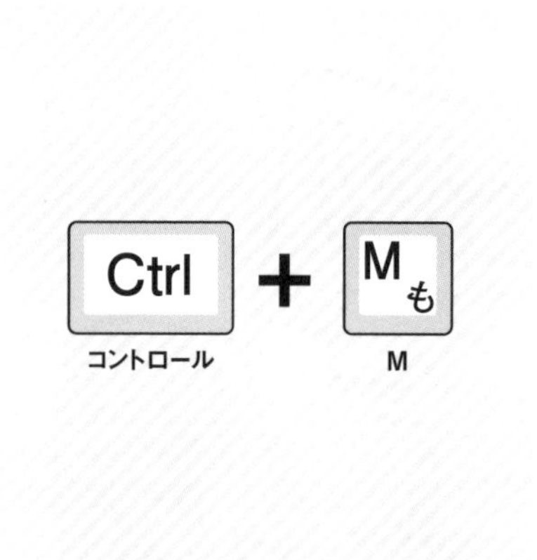

「Ctrl」キーを押しながら「M」キーを押す

企画書の本文など、少し字下げして見やすくしたいことがある。そんなときはインデントを使うとよい。メニューからも操作可能だが、キー操作のほうが手早い。「Ctrl」キーを押しながら「M」キーを押すと、初期値で設定されている分だけインデントを設定できる（**図1**）。初期値では4文字分に設定されている。

インデントを解除したい（元に戻したい）場合は、「Ctrl」キーと「Shift」キーを押しながら「M」キーを押す（**図2**）。

■「Ctrl」＋「M」でインデントを設定

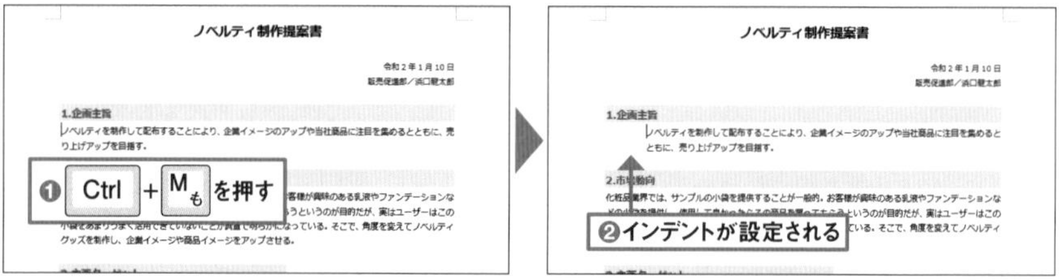

図1 対象となる段落にカーソルを置き、「Ctrl」キーを押しながら「M」キーを押すと（❶）、インデントを設定できる（❷）

■「Ctrl」＋「Shift」＋「M」でインデントを解除

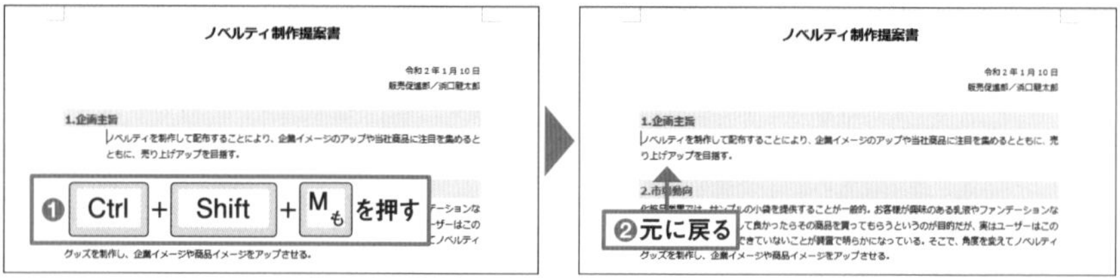

図2 「Ctrl」キーと「Shift」キーを押しながら「M」キーを押すと（❶）、インデントが解除される（❷）

お役立ち度 ★★★★☆

文字を1ポイントずつ大きくしたり小さくしたりする

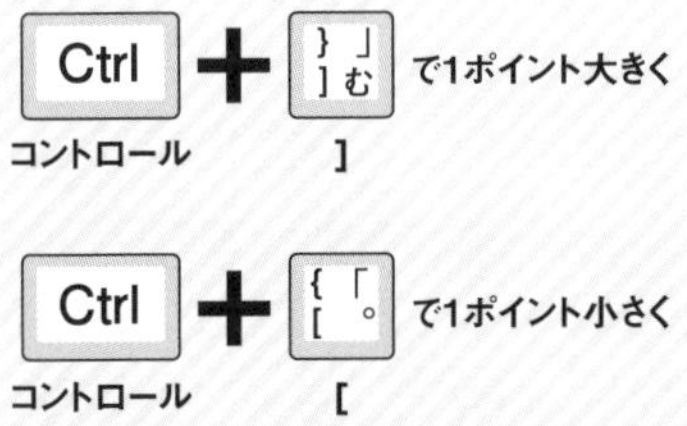

Ctrl + } 」] む で1ポイント大きく
コントロール]
Ctrl + { 「 [。 で1ポイント小さく
コントロール [

「Ctrl」キーを押しながら「]」(閉じ角カッコ)キーを押すと、文字を1ポイント大きくできる。「Ctrl」+「[」(開き角カッコ)キーでは1ポイント小さくなる

文書を作成しているとき、フォントサイズを少しだけ大きくしたい、少しだけ小さくしたい、という状況はよくある。もちろんメニューのアイコンからも操作できるが、キーボードでも操作は可能だ。

対象の文字列を選択した状態で、「Ctrl」キーを押しながら「]」(閉じ角カッコ)キーを押すと、文字を1ポイント大きくできる(**図1**)。反対に、「Ctrl」キーを押しながら「[」(開き角カッコ)キーを押すと、1ポイント小さくできる(**図2**)。

■「Ctrl」+「]」で文字を1ポイント大きく

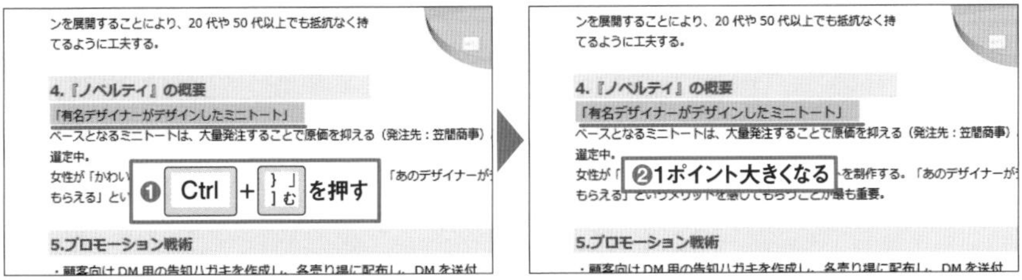

ンを展開することにより、20 代や 50 代以上でも抵抗なく持てるように工夫する。
4.『ノベルティ』の概要
「有名デザイナーがデザインしたミニトート」
ベースとなるミニトートは、大量発注することで原価を抑える(発注先：笠間商事)
❶ Ctrl + } 」] む を押す
❷1ポイント大きくなる
5.プロモーション戦術

図1 「Ctrl」キーを押しながら「]」(閉じ角カッコ)キーを押すと(❶)、文字が1ポイント大きくなる(❷)

■「Ctrl」+「[」で文字を1ポイント小さく

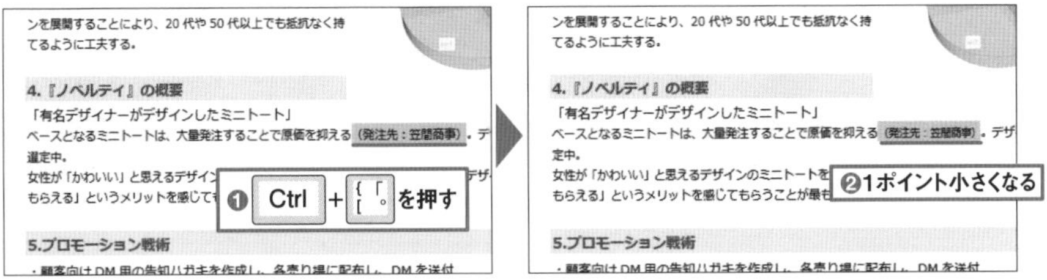

ンを展開することにより、20 代や 50 代以上でも抵抗なく持てるように工夫する。
4.『ノベルティ』の概要
「有名デザイナーがデザインしたミニトート」
ベースとなるミニトートは、大量発注することで原価を抑える(発注先：笠間商事)
❶ Ctrl + { 「 [。 を押す
❷1ポイント小さくなる
5.プロモーション戦術

図2 「Ctrl」キーを押しながら「[」(開き角カッコ)キーを押すと(❶)、文字が1ポイント小さくなる(❷)

お役立ち度★★★★★

好きな位置で改ページする

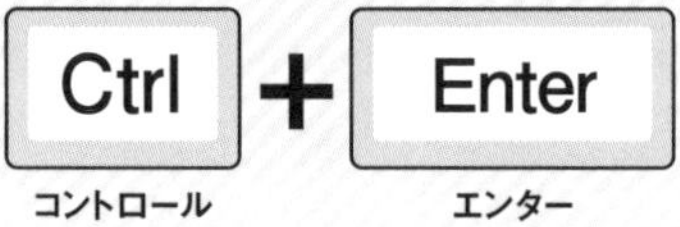

「Ctrl」キーを押しながら「Enter」キーを押す

文章のちょうど区切りの良いところでページを切り替えたいことがある。そんなとき、「Enter」キーをひたすら押したりしていないだろうか。ワードには「ページ区切り」という機能があり、任意の位置で強制的に改ページできる。

メニューからだと、「挿入」タブの「ページ」グループの「ページ区切り」とたどる必要がある。キー操作なら「Ctrl」キーを押しながら「Enter」キーを押すだけなので、時短できる（**図1**）。

■「Ctrl」+「Enter」で好きな位置で改ページ

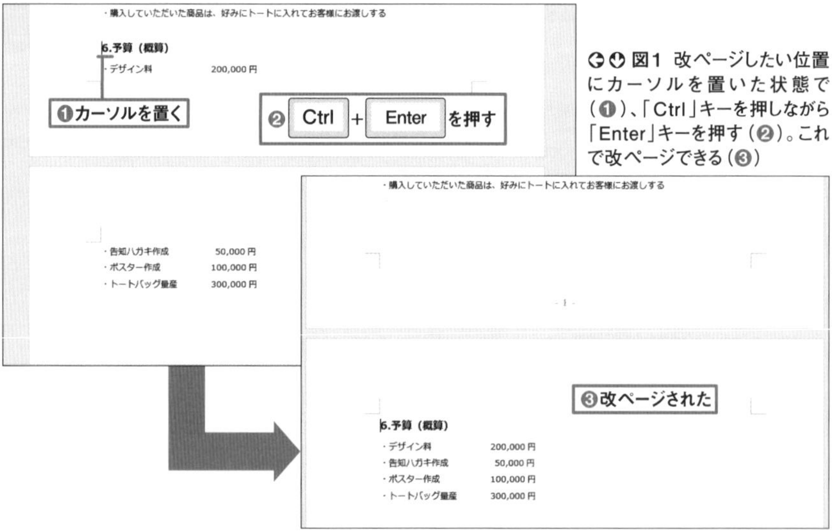

←↓ 図1 改ページしたい位置にカーソルを置いた状態で（❶）、「Ctrl」キーを押しながら「Enter」キーを押す（❷）。これで改ページできる（❸）

お役立ち度 ★★★★

箇条書きを引き継がずに改行する

「Shift」キーを押しながら「Enter」キーを押す

ワードには、「1.」などの番号や記号で始まる箇条書きを自動作成する機能がある。「Enter」キーで改行すると、その段落の段落書式が引き継がれるため、箇条書きも引き継がれ、次の番号が自動入力されるのだ（**図1**）。だが、箇条書きした項目の詳細を記入する場合など、箇条書きの中で改行したいこともある。そんなときは「Shift」キーを押しながら「Enter」キーを押そう（**図2**）。すると箇条書きなどの段落書式を引き継がずに改行できる。

■「Enter」だけだと箇条書きを引き継いでしまう

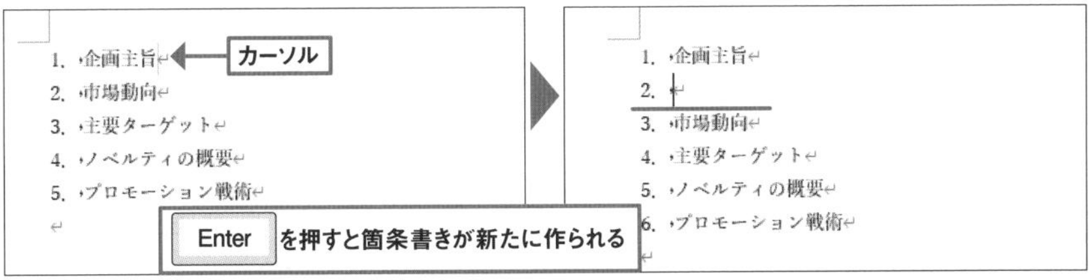

図1 「Enter」キーで改行すると、箇条書きが新たに作られ、連番が自動挿入される

■「Shift」＋「Enter」で箇条書きの中で改行

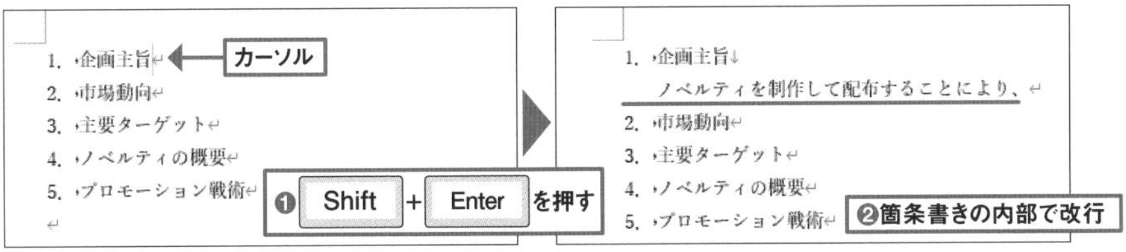

図2 「Shift」キーを押しながら「Enter」キーを押すと（❶）、箇条書きの内部で改行される（❷）。SNSなどで改行したいときによく使うキーなので覚えやすいだろう。箇条書きなどの段落書式ではなく、太字や斜体など、文字書式を解除したい場合は、次ページを参照してほしい

お役立ち度 ★★★★

文字書式を解除する

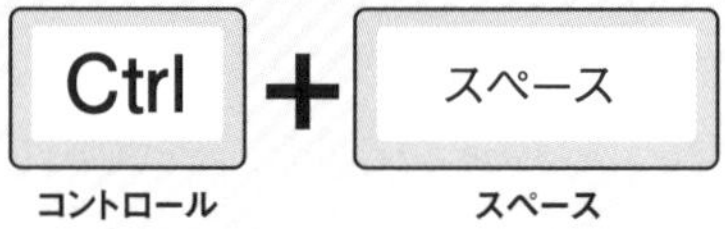

Ctrl
＋
スペース
コントロール
スペース

書式を設定した文字の後ろで、「Ctrl」キーを押しながらスペースキーを押す

文章を入力中に、キーワードを強調したいため、その部分だけ太字などの書式に変更した。その後は通常のスタイルで文字を入力したいが、設定した書式がそのまま引き継がれて困った——。こんな経験はないだろうか（**図1**）。

色やサイズなどの書式を設定した文字の後ろに、書式を引き継がずに入力するには、「Ctrl」キーを押しながらスペースキーを押す。書式が解除され、通常の文字で入力できる（**図2**）。

■そのまま入力すると文字書式を引き継いでしまう

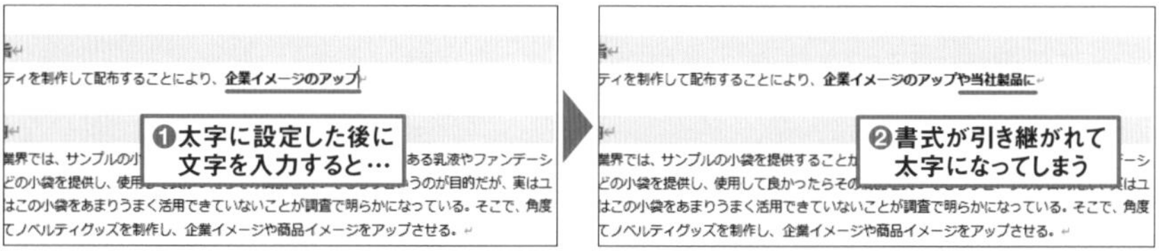

❶太字に設定した後に
文字を入力すると…
❷書式が引き継がれて
太字になってしまう

⊙図1　本文の中で、ある文字を目立たせるために太字にすると（❶）、その後に入力した文字もすべて太字になってしまう（❷）

■「Ctrl」＋スペースキーで文字書式を引き継がずに入力

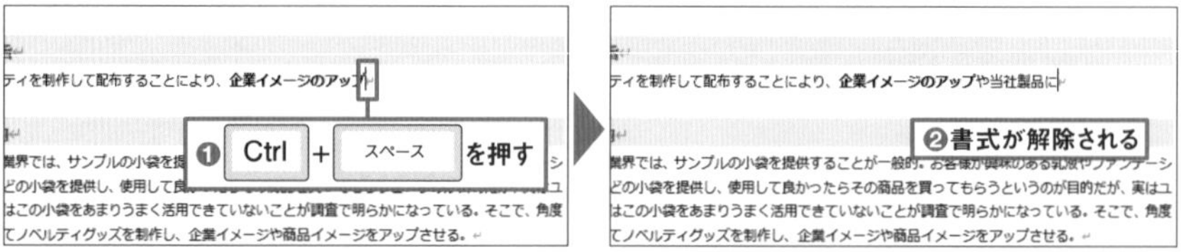

❶ Ctrl ＋ スペース を押す
❷書式が解除される

⊙図2　書式を引き継がずに通常の文字を入力したい場合は、書式を設定した文字の後ろで「Ctrl」キーを押しながらスペースキーを押す（❶）。これで、通常のスタイルで文字を入力できる（❷）。文字書式を設定した文字を選択してこのキーを押し、書式を解除することも可能だ。なお、この操作で解除できるのは、色やサイズ、太字などの「文字書式」のみだ

お役立ち度★★★★

段落書式を解除する

段落書式を解除したい段落にカーソルを置いた状態で、「Ctrl」キーを押しながら「Q」キーを押す

ワードの書式には、文字書式と段落書式がある。文字書式とは太字や斜体、文字色やサイズなど、文字単位で付けられる書式のこと（解除方法は左ページ参照）。それに対して段落書式とは、中央揃えや箇条書きなど、段落単位で設定する書式のことだ。

段落書式を解除するには「Ctrl」キーを押しながら「Q」キーを押す。すると、文字書式はそのままで、段落書式だけが解除される（**図1**）。

■「Ctrl」+「Q」で段落書式を解除

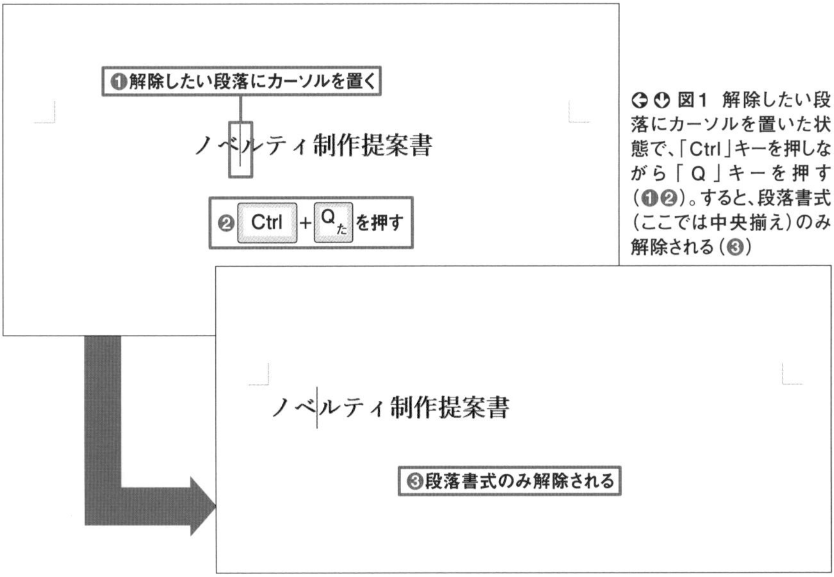

図1 解除したい段落にカーソルを置いた状態で、「Ctrl」キーを押しながら「Q」キーを押す（❶❷）。すると、段落書式（ここでは中央揃え）のみ解除される（❸）

お役立ち度 ★★★★☆

標準スタイルを適用する

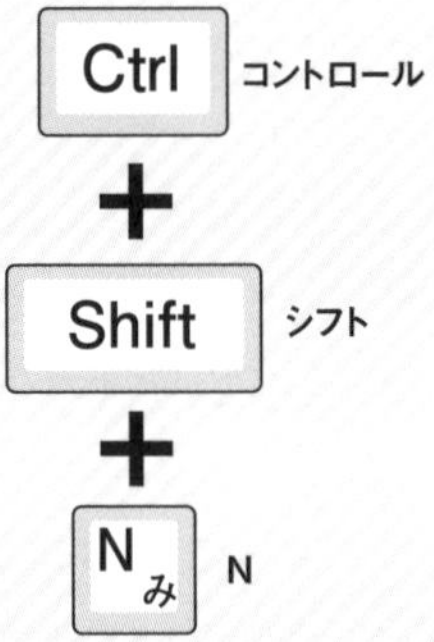

「Ctrl」キーと「Shift」キーを押しながら「N」キーを押す

126ページでは文字書式の解除方法を、127ページでは段落書式の解除方法を紹介した。これらを一度に実現するショートカットキーがある。

それには、解除したい段落を選択した状態で、「Ctrl」キーと「Shift」キーを押しながら「N」キーを押す。すると、文字書式と段落書式が解除され、標準のスタイルに戻る（**図1**）。勝手に振られてしまう連番や箇条書きなどを解除したいときにも活用できる（**図2**）。

■「Ctrl」＋「Shift」＋「N」で標準スタイルを適用!

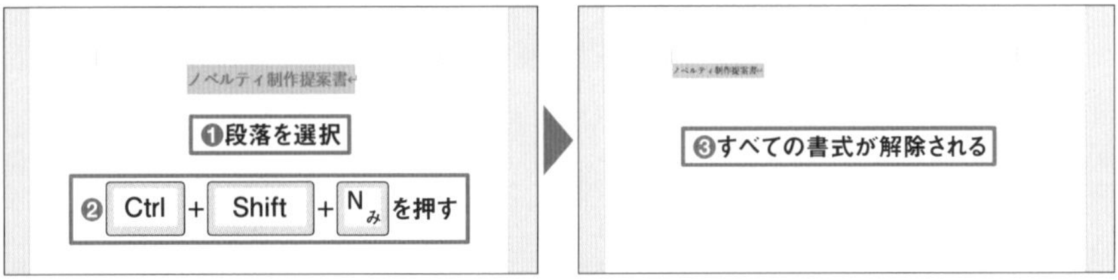

図1 標準スタイルを適用したい段落を選択した状態で、「Ctrl」キーと「Shift」キーを押しながら「N」キーを押す（❶❷）。すると、文字書式も段落書式も解除され、標準スタイルとなる（❸）

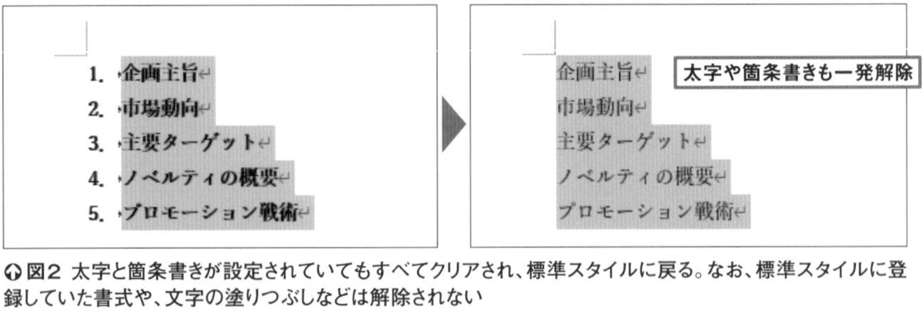

図2 太字と箇条書きが設定されていてもすべてクリアされ、標準スタイルに戻る。なお、標準スタイルに登録していた書式や、文字の塗りつぶしなどは解除されない

近藤《こんどう》さん、しっくりこない、書式《しょしき》にNO《ノー》

Ctrl **Shift** **N み** 標準の文字書式に戻す

Column 「標準スタイル」って何?

ワードの「標準スタイル」とは、文字通り、文書に設定された標準(デフォルト)のスタイルのこと。文書を新規に作成したとき何も設定せずに文字を入力すると、標準スタイルが適用される。通常はフォントが「游明朝」、フォントサイズは「10.5」ポイントに設定されている。

文書にあらかじめ用意されたスタイルは、「ホーム」タブにある「スタイル」欄に一覧表示されている。先頭にある「標準」というのが標準スタイルだ。「Ctrl」+「Shift」+「N」というショートカットキーは、「スタイル」欄で「標準」を選び直すのと同じ操作になる。「スタイル」欄で「標準」を右クリックし、「変更」を選ぶと、標準スタイルを変更することも可能だ。

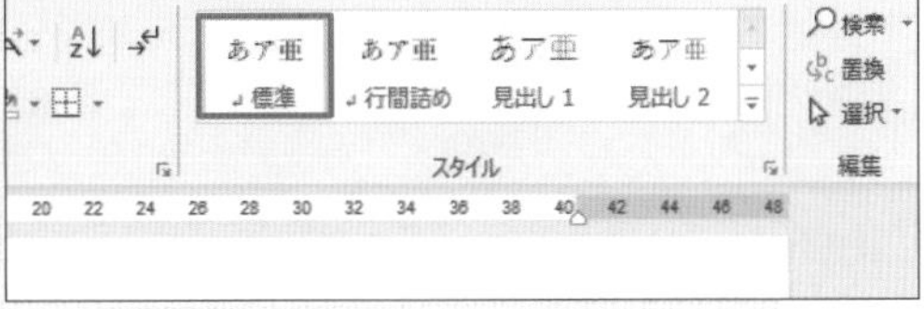

お役立ち度 ★★★★

ナビゲーションウインドウを開いて検索する

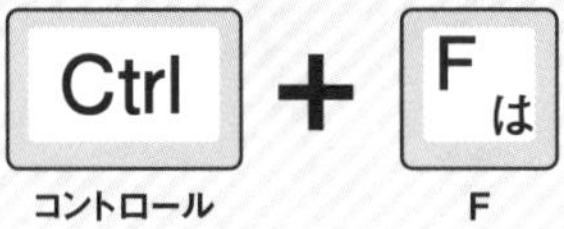

「Ctrl」キーを押しながら「F」キーを押す。
「Find」(見つける)の「F」と覚えよう

ワードの文書内で検索したい場合は、「Ctrl」キーを押しながら「F」キーを押す(**図1**)。すると、ナビゲーションウインドウが開くので、検索ボックスにキーワードを入力して「Enter」キーを押す。キーワードがハイライト表示される(**図2**)。同時に、ナビゲーションウインドウにはキーワードを含む文章の一部が表示されるので、それをクリックすると、その箇所にジャンプできる。ブラウザーのページ内検索も同じキー操作だ。

■「Ctrl」+「F」でナビゲーションウインドウを開いて検索!

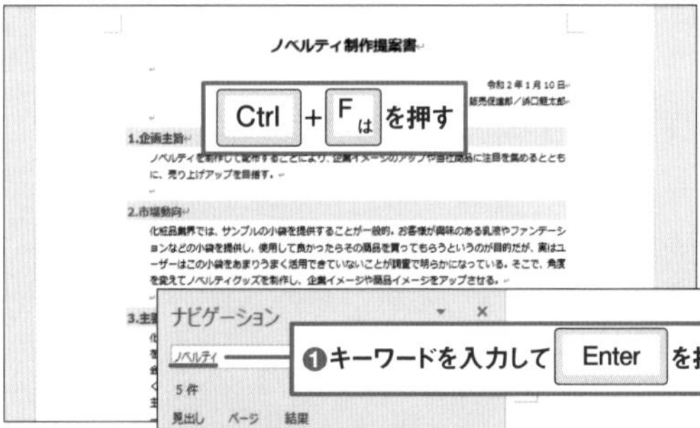

➡ 図1 検索したい文書を開いて、「Ctrl」キーを押しながら「F」キーを押す

⬇ 図2 ナビゲーションウインドウが開くので、検索ボックスに検索したい文字列を入力して「Enter」キーを押す(❶)。すると、検索結果がハイライト表示される(❷)

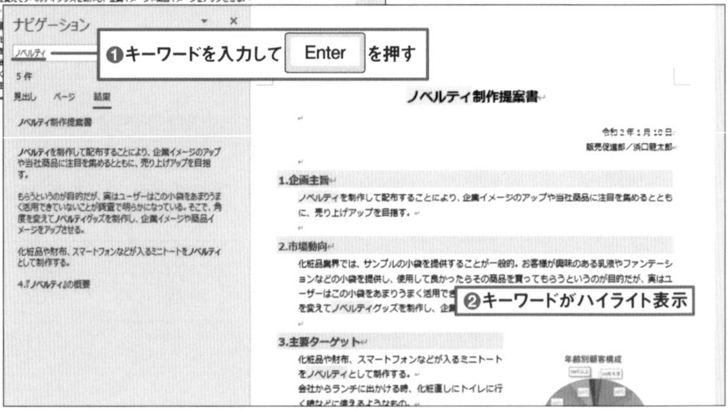

お役立ち度 ★★★

カーソルを1単語分右／左に移動する

Ctrl
→
で1単語分右に
コントロール
右矢印
Ctrl
←
で1単語分左に
コントロール
左矢印

「Ctrl」キーを押しながら「→」キーで1単語分右に、「Ctrl」キーを押しながら「←」キーで1単語分左に移動する

カーソル移動をする際、矢印キーで1文字ずつ移動するのは面倒。かといってマウスを使っても微妙にずれたりする。そんなときはショートカットキーだ。カーソル移動に関するショートカットキーはいろいろある。まずは、1単語分右や左に移動する操作を紹介しよう。「Ctrl」キーを押しながら「→」(右矢印)キーを押すと1単語分右に移動する(**図1**)。逆に1単語分左に移動したいなら「Ctrl」+「←」(左矢印)キーを押す(**図2**)。

■「Ctrl」+「→」で1単語分右に、「Ctrl」+「←」で1単語分左に移動

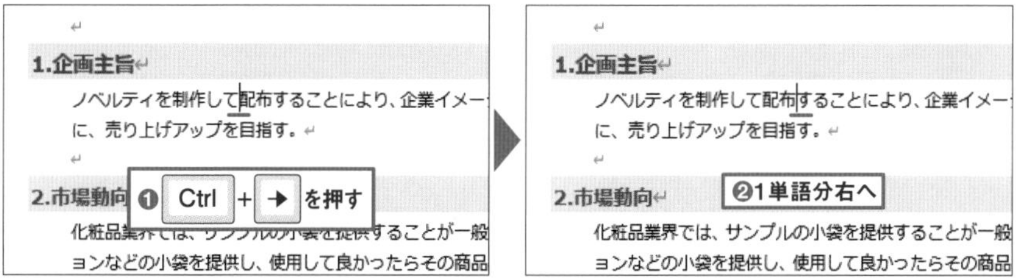

1.企画主旨
ノベルティを制作して配布することにより、企業イメー
に、売り上げアップを目指す。
2.市場動向
❶ Ctrl + → を押す
化粧品業界では、サンプルの小袋を提供することが一般
ョンなどの小袋を提供し、使用して良かったらその商品
❷1単語分右へ

図1 「Ctrl」キーを押しながら「→」(右矢印)キーを押すと、カーソルが1単語分右に移動する(❶❷)。単語の途中にカーソルがある場合は、その単語の切れ目に移動する

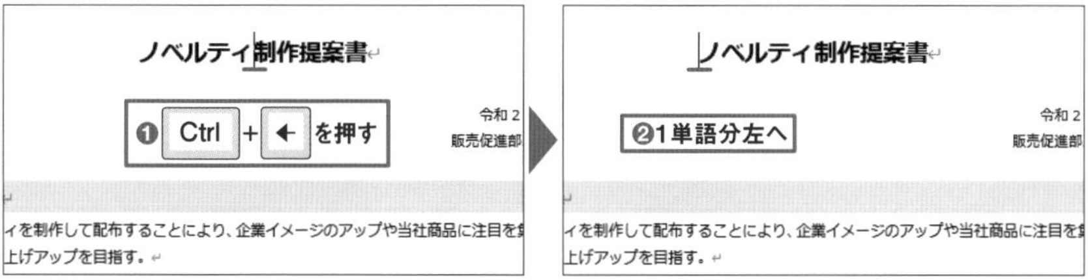

ノベルティ制作提案書
❶ Ctrl + ← を押す
令和 2
販売促進部
イを制作して配布することにより、企業イメージのアップや当社商品に注目を
上げアップを目指す。
❷1単語分左へ

図2 「Ctrl」キーを押しながら「←」(左矢印)キーを押すと、カーソルが1単語分左に移動する(❶❷)。「Ctrl」キーを押したまま何度も「←」キーを押すと、単語単位で次々と前方向に戻れる

お役立ち度 ★★★★☆

カーソルを行の末尾／先頭に移動する

End
で行の末尾に
エンド
Home
で行の先頭に
ホーム

「End」キーを押すと行の末尾に、「Home」キーを押すと行の先頭にカーソルが移動する

前ページでは1単語分ずつ左右にカーソルが移動するキー操作を紹介した。ここでは、行の末尾や行の先頭にカーソルを移動するキー操作を紹介する。

「End」キーを押すと行の末尾に、「Home」キーを押すと行の先頭にカーソルが移動する（**図1**、**図2**）。

行の途中までしか文字が入力されていない場合に「End」キーを押すと、最後の文字の右側にカーソルが移動するので、スムーズに続きを入力できる。

■「End」で行の末尾に、「Home」で行の先頭にカーソルを移動

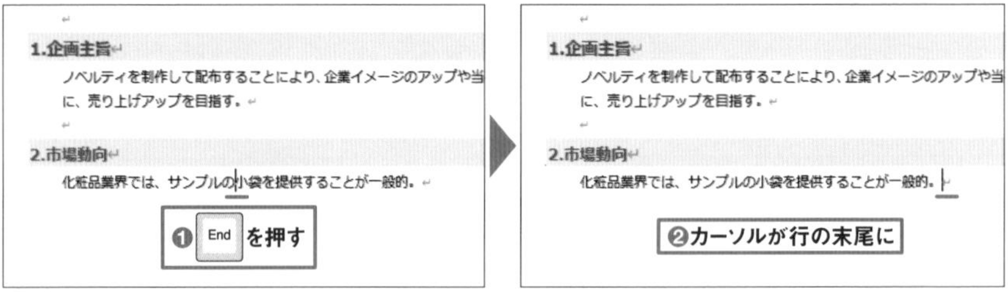

1.企画主旨
ノベルティを制作して配布することにより、企業イメージのアップや当
に、売り上げアップを目指す。
2.市場動向
化粧品業界では、サンプルの小袋を提供することが一般的。
❶ End を押す
❷カーソルが行の末尾に

図1 文字を修正するなどしてカーソルが行の途中にあるとき、「End」キーを押す（❶）。すると末尾にカーソルが移動するので、そのまま文章を入力できる（❷）

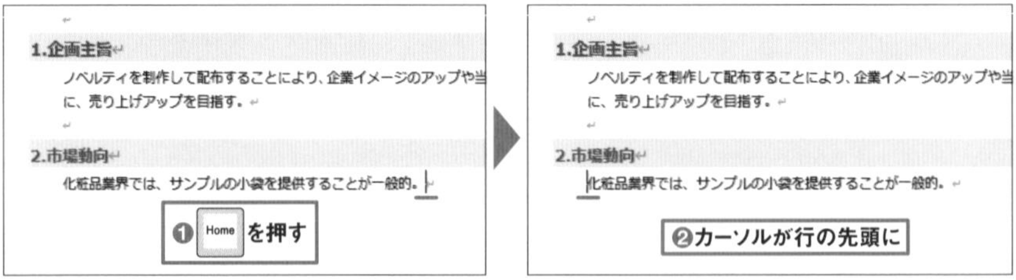

1.企画主旨
ノベルティを制作して配布することにより、企業イメージのアップや当
に、売り上げアップを目指す。
2.市場動向
化粧品業界では、サンプルの小袋を提供することが一般的。
❶ Home を押す
❷カーソルが行の先頭に

図2 入力途中などに、その行の先頭に戻りたいときは「Home」キーを押そう（❶❷）

お役立ち度 ★★★★

カーソルを文書の末尾／先頭に移動する

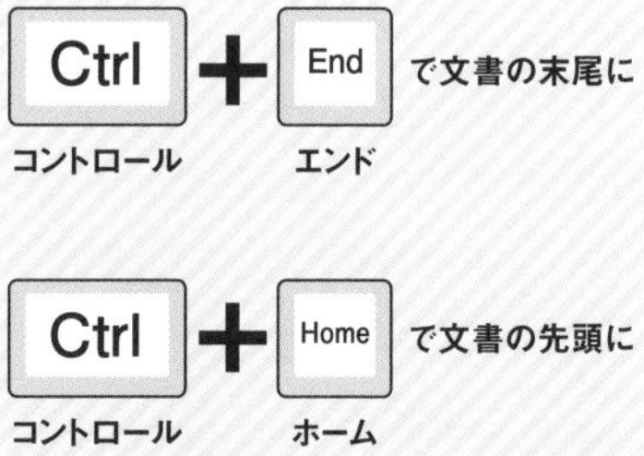

「Ctrl」キーを押しながら「End」キーを押すと文書の末尾に、「Ctrl」キーを押しながら「Home」キーを押すと文書の先頭にカーソルが移動する

左ページでは行の末尾や先頭にカーソルを移動させるキー操作を紹介した。ここでは、文書の末尾や先頭にカーソルを移動するキー操作を紹介する。

「Ctrl」キーを押しながら「End」キーを押すと文書の末尾に、「Ctrl」キーを押しながら「Home」キーを押すと文書の先頭にカーソルが移動する（**図1、図2**）。論文など長い文書を作成しているときに、文書の先頭や末尾に一瞬で移動できるので、非常に便利だ。

■「Ctrl」＋「End」で文書の末尾に、「Ctrl」＋「Home」で文書の先頭に

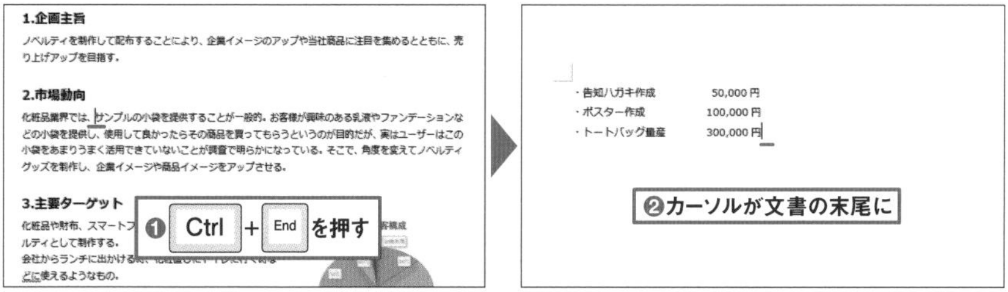

図1 「Ctrl」キーを押しながら「End」キーを押すとカーソルが文書の末尾に移動する（❶❷）

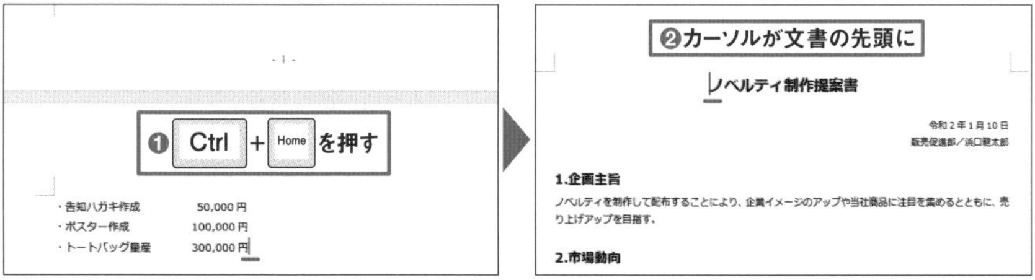

図2 文書作成途中に、文書の先頭に戻って内容を確認したいというときは、「Ctrl」キーを押しながら「Home」キーを押そう（❶❷）

お役立ち度 ★★★

文字列をブロック単位で選択する

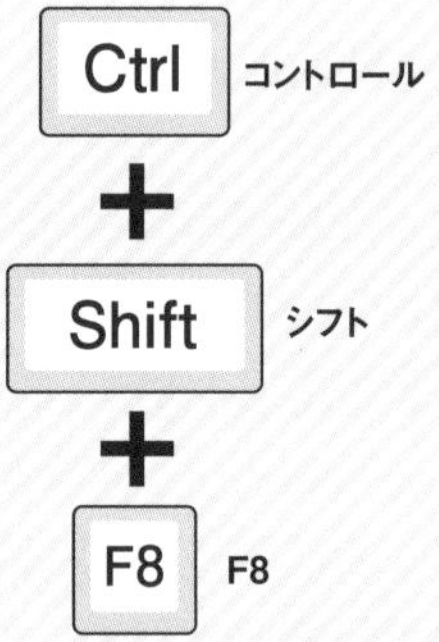

「Ctrl」キーと「Shift」キーを押しながら「F8」キーを押す

文字単位で選択するには文字をドラッグ、行単位で選択するには左側の余白をクリック、段落単位で選択するには左側の余白をダブルクリックすればよい。では、文書の一部をブロック単位で選択するにはどうすればよいだろうか。

まず、ブロック単位で選択したい左上にカーソルを置いた状態で、「Ctrl」キーと「Shift」キーを押しながら「F8」キーを押す。すると選択状態になるので、矢印キーで範囲を広げればよい（**図1**）。

■「Ctrl」+「Shift」+「F8」でブロック単位の選択が可能

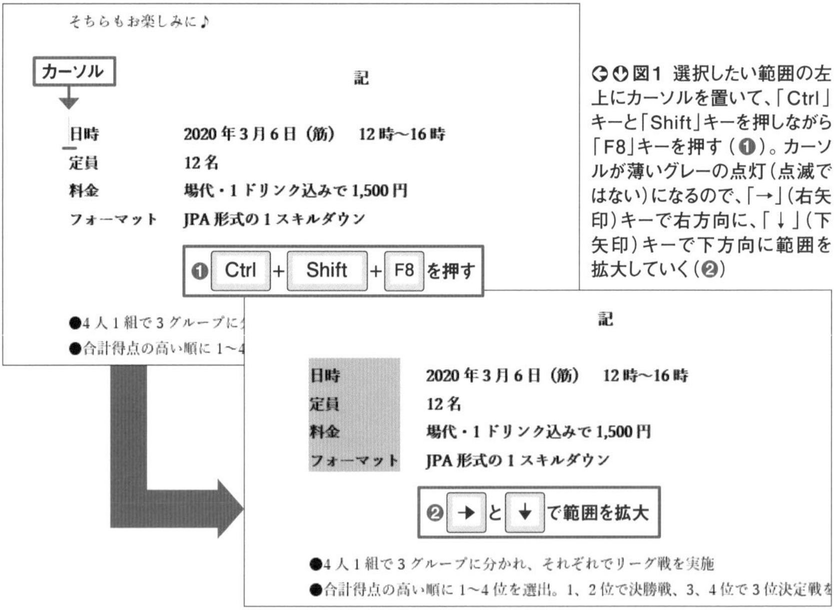

図1 選択したい範囲の左上にカーソルを置いて、「Ctrl」キーと「Shift」キーを押しながら「F8」キーを押す（❶）。カーソルが薄いグレーの点灯（点滅ではない）になるので、「→」（右矢印）キーで右方向に、「↓」（下矢印）キーで下方向に範囲を拡大していく（❷）

お役立ち度 ★★★

1文字右／左まで選択する

Shift
＋
→
シフト
右矢印
Shift
＋
←
シフト
左矢印

「Shift」キーを押しながら「→」キーを押すと、1文字右まで選択範囲が広がる。「Shift」+「←」キーなら左方向だ

文字を範囲選択する際、マウスでドラッグするのが一般的だ。しかし、2行にまたがる場合などはドラッグしづらい。こんなときはキー操作を使おう。

「Shift」キーを押しながら「→」(右矢印)キーを押すと、1文字右に選択範囲が広がる(**図1**)。「Shift」キーを押したまま「→」キーを何度か押すと、1文字ずつ右方向に範囲を広げていける。行をまたいでも問題ない。「Shift」+「←」(左矢印)キーなら逆方向だ。

■「Shift」+「→」で右方向に選択範囲を拡大

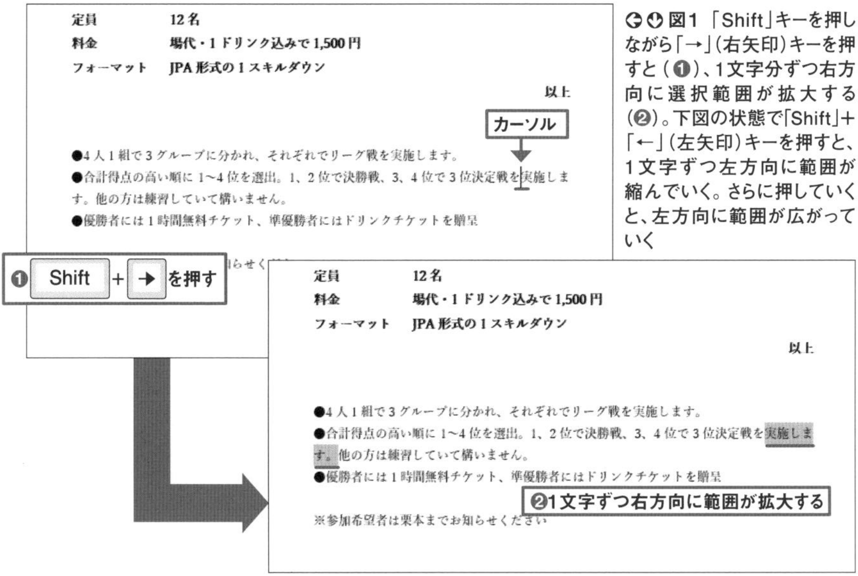
定員　12名
料金　場代・1ドリンク込みで1,500円
フォーマット　JPA形式の1スキルダウン
以上
カーソル
●4人1組で3グループに分かれ、それぞれでリーグ戦を実施します。
●合計得点の高い順に1~4位を選出。1、2位で決勝戦、3、4位で3位決定戦を実施します。他の方は練習していて構いません。
●優勝者には1時間無料チケット、準優勝者にはドリンクチケットを贈呈
❶ Shift + → を押す
定員　12名
料金　場代・1ドリンク込みで1,500円
フォーマット　JPA形式の1スキルダウン
以上
●4人1組で3グループに分かれ、それぞれでリーグ戦を実施します。
●合計得点の高い順に1~4位を選出。1、2位で決勝戦、3、4位で3位決定戦を実施します。他の方は練習していて構いません。
●優勝者には1時間無料チケット、準優勝者にはドリンクチケットを贈呈
※参加希望者は栗本までお知らせください
❷1文字ずつ右方向に範囲が拡大する

図1 「Shift」キーを押しながら「→」(右矢印)キーを押すと(❶)、1文字分ずつ右方向に選択範囲が拡大する(❷)。下図の状態で「Shift」+「←」(左矢印)キーを押すと、1文字ずつ左方向に範囲が縮んでいく。さらに押していくと、左方向に範囲が広がっていく

お役立ち度 ★★★★

「フォント」設定画面を表示する

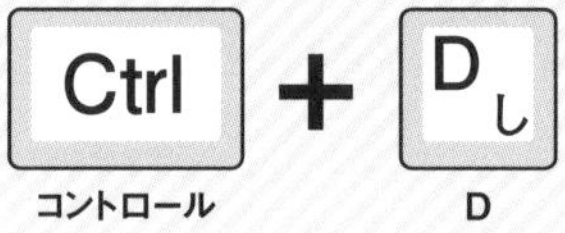

「Ctrl」キーを押しながら「D」キーを押す

文字に装飾を設定する場合、一般的には「ホーム」タブの「フォント」グループから太字や斜体、下線などのボタンをクリックするだろう。

しかし、装飾する種類が多い場合は、「フォント」設定画面を開いて設定したほうが楽だ。マウスで範囲を指定した後、「Ctrl」キーを押しながら「D」キーを押すと、「フォント」設定画面を開ける（**図1**）。右手でマウス、左手でキーを操作できるので効率が良い。

■「Ctrl」＋「D」で「フォント」設定画面を開ける

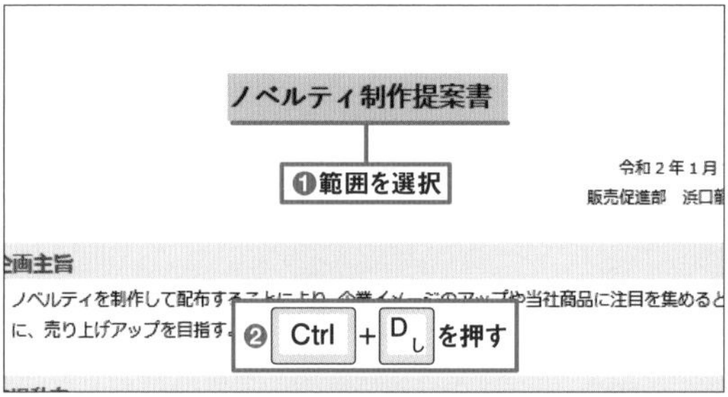

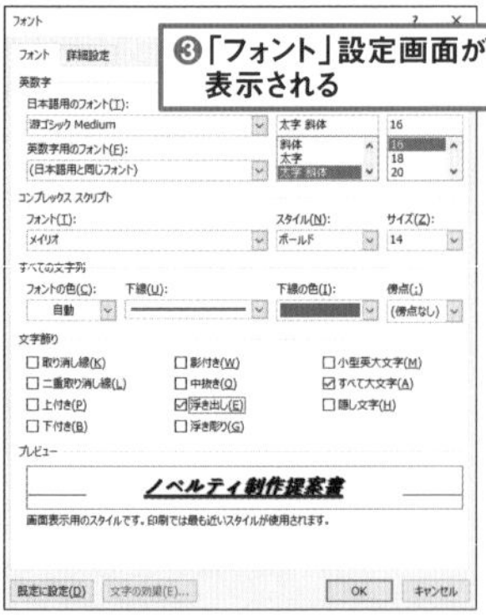

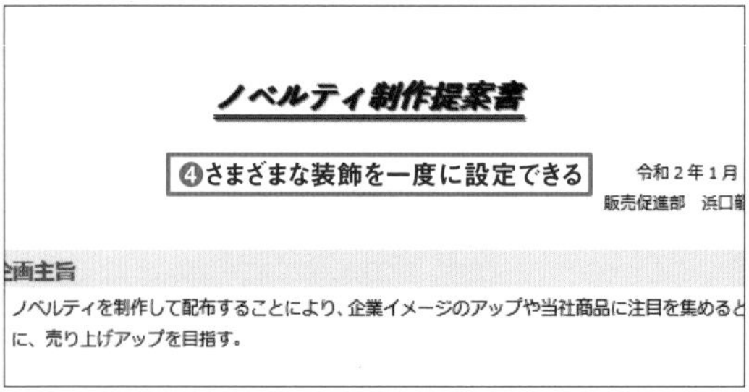

⬅⬇ **図1** 複数の文字装飾をしたい場合は、「フォント」設定画面を開いてまとめて設定したほうが手っ取り早い。対象範囲を選択した後、「Ctrl」キーを押しながら「D」キーを押す（❶❷）。すると「フォント」設定画面が開くので、さまざまな装飾を施せる（❸❹）

近藤《こんどう》さん、大出世《だいしゅっせ》って、ホント《フォント》なの？

Ctrl　D し　フォントの設定画面を開く

Column 文字の間隔も調整できる

「Ctrl」＋「D」キーで開く「フォント」の設定画面には「詳細設定」というタブがある。この「詳細設定」タブでは、文字の横幅を拡大／縮小したり、文字の間隔を広くしたり狭くしたりできる。

例えば「倍率」欄で「200％」を選ぶと、1文字を2文字分の幅で表示できる。文字間が広くて間延びしているようなら、「文字間隔」欄で「狭く」を選ぶとよい。右側の「間隔」欄を増減させることで、文字間を細かく調整可能だ。そのほか、「位置」欄で「上げる」「下げる」のいずれかを選ぶと、行の中で上方向または下方向に、位置をずらすこともできる。

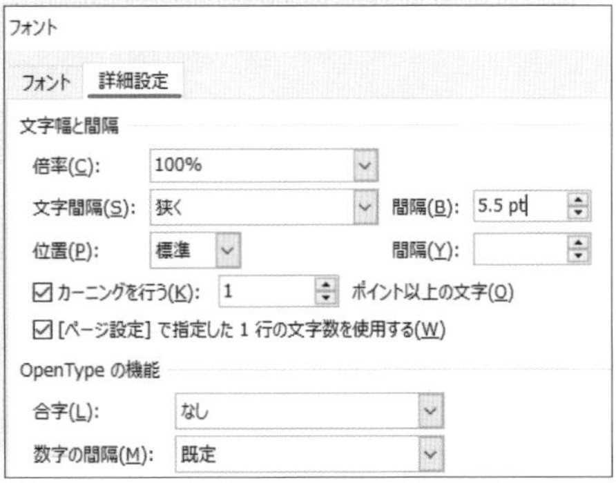

お役立ち度 ★★

文字数や行数を確認する

投稿用の小説などを書いていると、現在何文字書けているかが気になる。メニューだと「校閲」タブにある「文字カウント」をクリックすると、「文字カウント」というダイアログボックスが表示され、ページ数や単語数、文字数や行数などが確認できる。しかし、執筆中にいちいちマウス操作するのはまどろっこしい。

「Ctrl」キーと「Shift」キーを押しながら「G」キーを押そう。これで同じダイアログボックスを開ける（**図1**）。

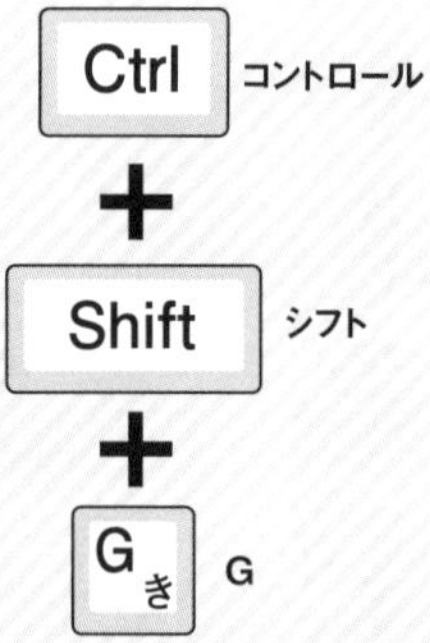

「Ctrl」キーと「Shift」キーを押しながら「G」キーを押す

■「Ctrl」+「Shift」+「G」で「文字カウント」ダイアログボックスが開く

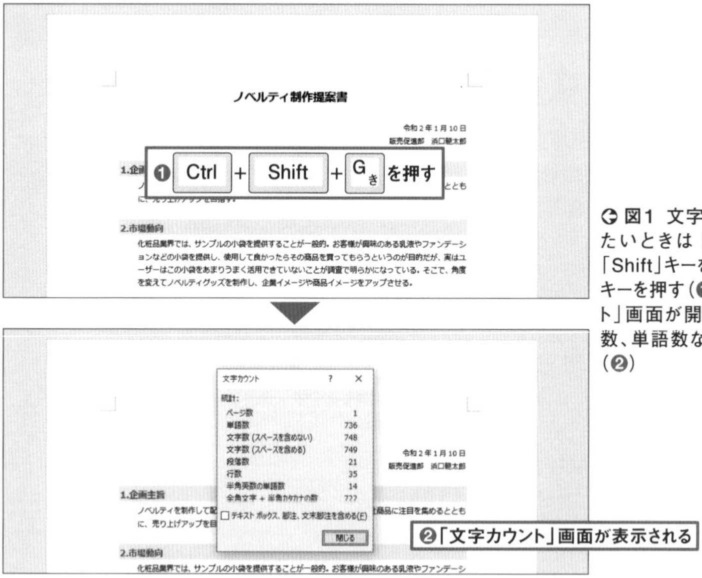

図1 文字数や行数を知りたいときは「Ctrl」キーと「Shift」キーを押しながら「G」キーを押す（❶）。「文字カウント」画面が開き、文字数や行数、単語数などが確認できる（❷）

お役立ち度 ★★★★☆

「検索と置換」画面の「置換」タブを表示する

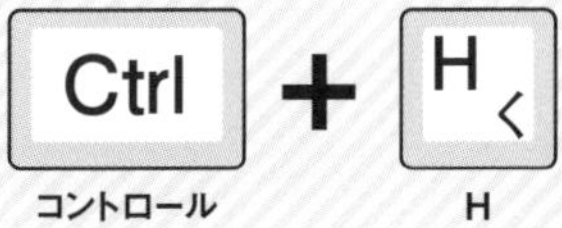

「Ctrl」キーを押しながら「H」キーを押す

ナビゲーションウインドウを開いて検索する方法は、130ページで紹介した。では、文字を置換したい場合はどうすればよいだろう。ナビゲーションウインドウでは置換はできない。「ホーム」タブの「編集」グループから「置換」をクリックすればできるが、やや手間がかかる。

キー操作なら「Ctrl」キーを押しながら「H」キーを押すことで、すぐに「置換」タブが選択された状態で「検索と置換」画面を開ける（**図1**）。

■「Ctrl」+「H」ですぐに置換を実行できる

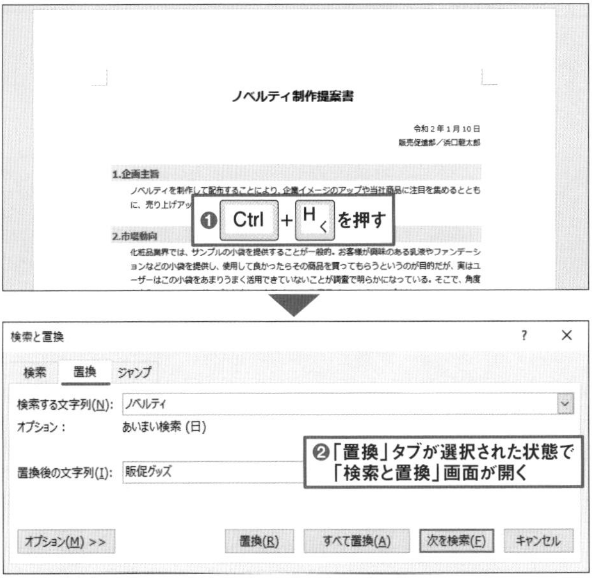

図1 文書内で文字の置換を実行したい場合は、「Ctrl」キーを押しながら「H」キーを押そう（❶）。「置換」タブが選択された状態で「検索と置換」画面を開ける（❷）

ワンポイント

共通で利用できる ショートカットキー

ショートカットキーには、エクセルやワードなど複数のアプリで共通して使えるものがある（**図1**）。例えば「Ctrl」＋「S」キーで上書き保存、「Ctrl」＋「O」キーで「開く」画面を表示（**図2**）、「Ctrl」＋「P」キーで「印刷」画面を表示（**図3**）、「Ctrl」＋「F1」キーでリボンの表示／非表示の切り替え（**図4**）などだ。

ほかにも、「Ctrl」＋「C」キー（コピー）、「Ctrl」＋「X」キー（切り取り）、「Ctrl」＋「V」キー（貼り付け）などは、ファイル操作でも利用可能だ。

さらに、「F1」キーでヘルプを表示する、というキー操作は、マイクロソフト製品だけでなく、ほかのアプリでもほぼ共通で使える。

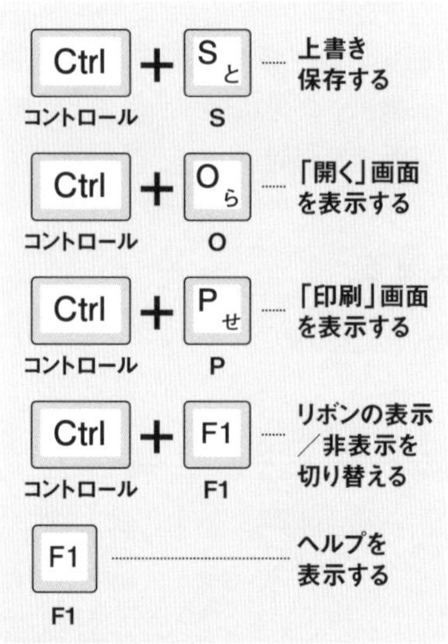

図1 上記のショートカットキーは、エクセルやワードなどで共通して利用できる

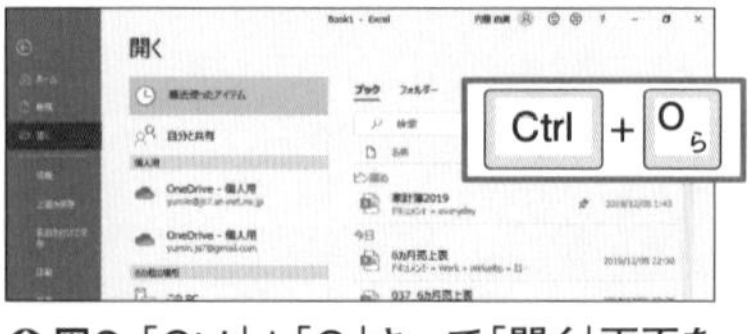

図2 「Ctrl」＋「O」キーで「開く」画面を表示する

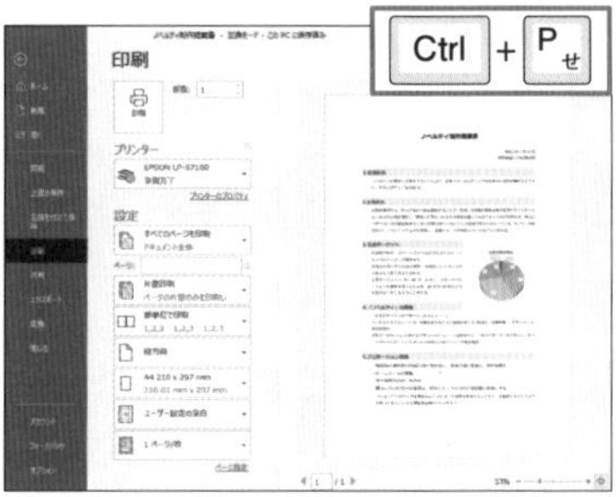

図3 「Ctrl」＋「P」キーで「印刷」の画面を開く

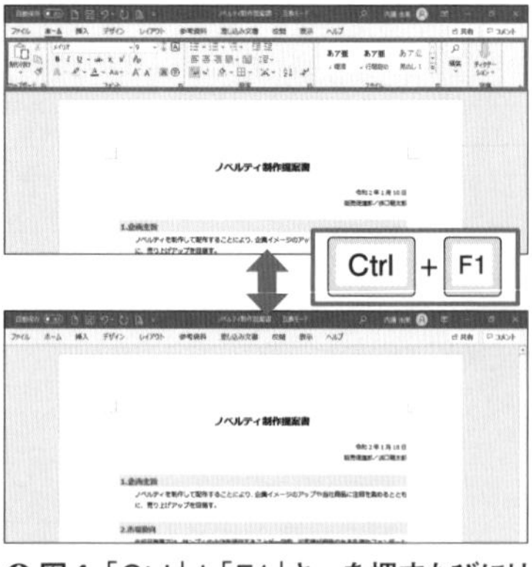

図4 「Ctrl」＋「F1」キーを押すたびにリボンの表示と非表示が切り替わる

5章

ブラウザー

企画書を作るときの調べ物、
ニュースをチェックしての情報収集など
ブラウザーを使わない日はないだろう。
スクロールやタブの切り替えなど、
マウスよりも効率的なショートカットキーの
数々を紹介しよう。

お役立ち度 ★★★★

ウェブページをスクロールする

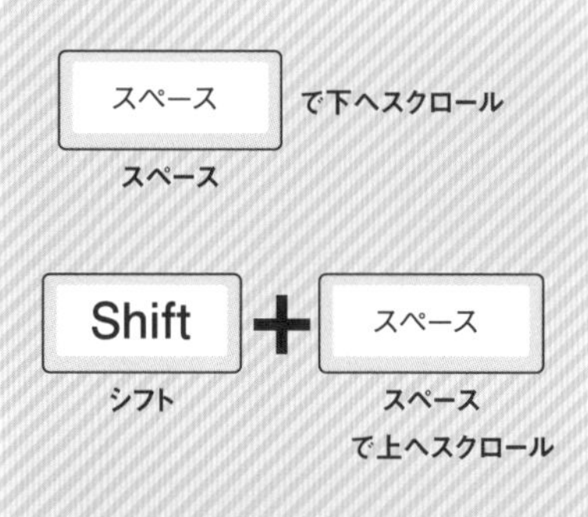

スペースキーを押すごとに1画面ずつ下方向にスクロールできる。上方向は「Shift」+スペースキーだ

ウェブページの表示をスクロールする際には、マウスのホイールを回転させることが多いだろう。実は、スクロールは、キーボードでも操作が可能だ。

スペースキーを押すと、1画面分だけ下にスクロールできる（**図1**）。スペースキーを押し続けると、連続してスクロールするので、かなり下の部分も素早く表示できる。逆に、上に1画面分スクロールするには、「Shift」キーを押しながらスペースキーを押す。

■スペースキー、「Shift」+スペースキーで自在に上下スクロール！

↑→ 図1 スペースキーを押すと、下方向に1画面分スクロールする。スペースキーを押し続けると、連続してスクロールできる。「PageDown」キーでも同じ結果になる。上方向へスクロールするには、「Shift」キーを押しながらスペースキーを押す。「PageUp」キーでも同じだ

お役立ち度 ★★★

ウェブページの先頭や末尾へ移動する

ウェブページの先頭に戻りたいときは「Home」キーを、ページの末尾に移動したいときは「End」キーを押す

ウェブページを途中まで、または最後まで見た後で、再度先頭に戻って内容を確認したいことがよくある。マウスのホイールを回転させたり、左ページの「Shift」+スペースキーなどでスクロールする操作を繰り返したりしても、先頭に戻るには時間がかかってしまう。

こんなときは「Home」キーを使えば、一発で先頭に戻ることができる（**図1**）。逆に、ページの末尾へ一発で移動したい場合は、「End」キーを押そう。

「Home」と「End」で先頭、末尾に一発ジャンプ！

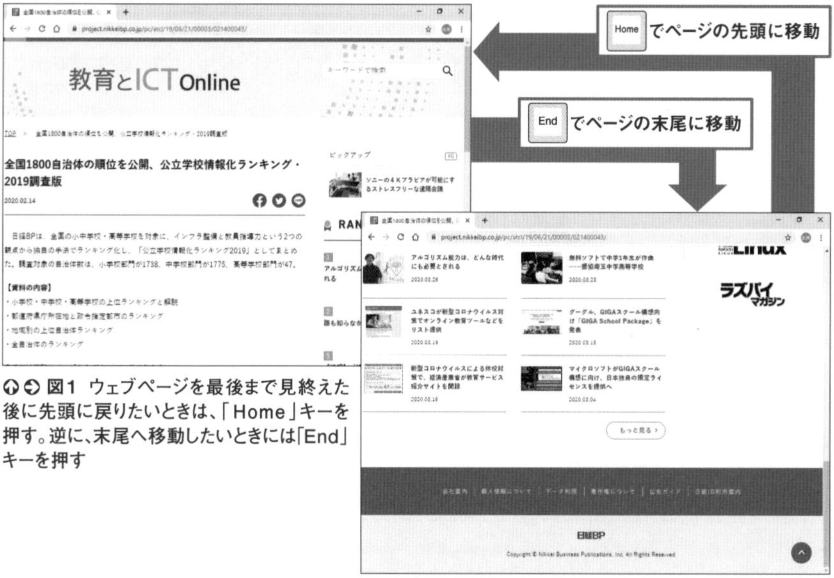

⇧⇨ **図1** ウェブページを最後まで見終えた後に先頭に戻りたいときは、「Home」キーを押す。逆に、末尾へ移動したいときには「End」キーを押す

お役立ち度 ★★★★★

表示しているウェブページをブックマークする

「Ctrl」キーを押しながら「D」キーを押す

気に入ったウェブページのURLを「ブックマーク（お気に入り）」として登録しておくと、すぐに開けて便利だ。

お気に入りに登録するには、「Ctrl」キーを押しながら「D」キーを押す。名前やフォルダーを確認する画面が開くので、よければ「Enter」キーを押して登録しよう（**図1**）。名前を変更することもできる。アドレスバー右の星印が青色（クロームやエッジの場合。旧エッジでは黄色）になっていたら、登録できている（**図2**）。

「Ctrl」＋「D」でよく見るページをブックマーク!

➡ **図1** 表示中のウェブページをブックマーク（お気に入り）に登録するには、「Ctrl」キーを押しながら「D」キーを押す（❶）。登録画面が表示されるので「Enter」キーを押す（❷）。登録から外したい場合は「削除」をクリックする

➡ **図2** ブックマーク一覧を見ると、登録されているのがわかる。クロームやエッジでこの画面（ブックマークマネージャー）を開くには「Ctrl」＋「Shift」＋「O」キーを押す（旧エッジでは「Ctrl」＋「I」キーで確認できる）

お役立ち度 ★★★★★

ブックマークバーの表示／非表示を切り替える

「Ctrl」キーと「Shift」キーを押しながら「B」キーを押す。「Bookmark」の「B」だ

ブックマーク（お気に入り）バーに登録したウェブページに素早くアクセスするには、アドレスバーの下にブックマークバーを表示しておくとよい。ただし、人にウェブページのスクリーンショットを送るなどの場合には、自分が何をブックマークしているかあまり知られたくない。

そんなときは、キー操作でブックマークバーの表示／非表示を素早く切り替えよう。「Ctrl」キーと「Shift」キーを押しながら「B」キーを押す（**図1**）。

■「Ctrl」＋「Shift」＋「B」でブックマークバーの表示／非表示を一発切り替え

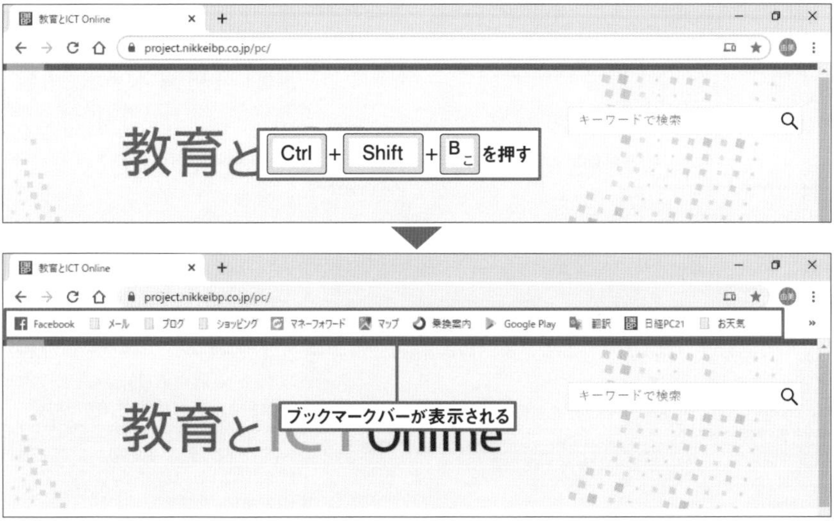

図1 「Ctrl」キーと「Shift」キーを押しながら「B」キーを押すと、ブックマークバーを表示できる。再度押すと、非表示となる

お役立ち度 ★★★★★

ページ内の文字列を検索する

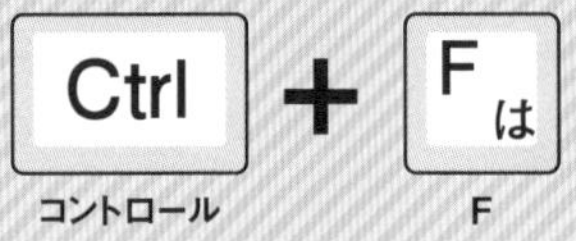

「Ctrl」キーを押しながら「F」キーを押すと、検索ボックスが表示されるので、文字列を入力して検索する

情報を得るためにウェブページを検索したものの、ページが長くて必要な情報を見つけられない——。そんなときは、そのページ内で文字列検索をしよう。

「Ctrl」キーを押しながら「F」キーを押すと、上部に検索ボックスが現れる(**図1**)。そこに検索したいキーワードを入力すれば、表示中のページ内で一致する文字列が強調表示されるので、すぐに必要な情報が見つかる(**図2**)。「Find」(見つける)の「F」と覚えておこう。

「Ctrl」+「F」でページ内検索ができる

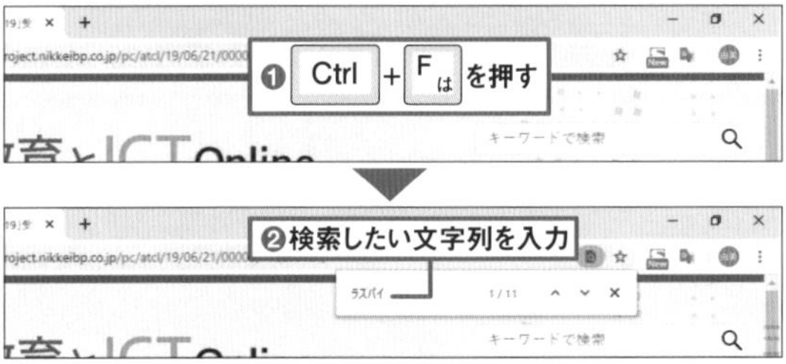

図1 「Ctrl」キーを押しながら「F」キーを押すと(❶)、検索ボックスが表示され、そこにカーソルが移動するので、検索したい文字列を入力する(❷)

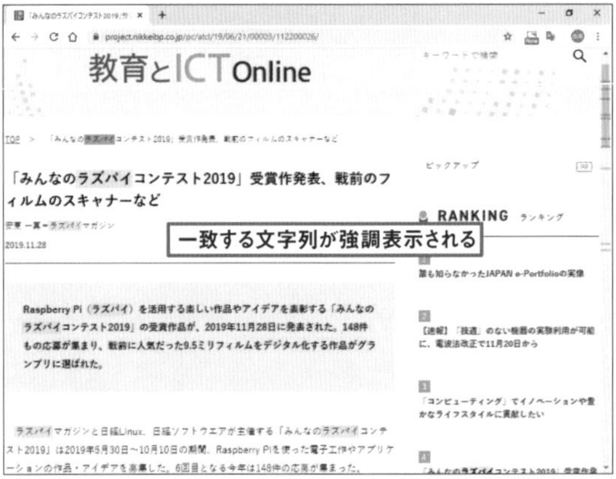

図2 表示中のウェブページ内で、一致する文字列が強調表示される。このキー操作はエクセルなどのアプリでも利用可能だ

今《こん》夜《や》こそ、フミちゃん探《さが》すよ、検《けん》索《さく》で

Ctrl　　F は　　検索する

Column　PDFの検索も「Ctrl」+「F」キーで

「Ctrl」+「F」というショートカットキーは、ほとんどのアプリで利用できる。PDFの閲覧ソフト「アクロバットリーダーDC」で文書内を検索したいときも、「Ctrl」+「F」キーを押せばよい。ワードやエクセルでも同様に、「Ctrl」+「F」キーで検索機能を呼び出すことができる。エクスプローラーでも、「Ctrl」+「F」キーを押すことで、アドレスバーの右側にある検索ボックスを選択することができる。

ただし、103ページでも触れたように、メールソフトのアウトルックだけは、検索に「Ctrl」+「E」というショートカットキーを割り当てている。「Ctrl」+「F」キーは「メールの転送」になるので注意しよう。

アクロバットリーダーDC

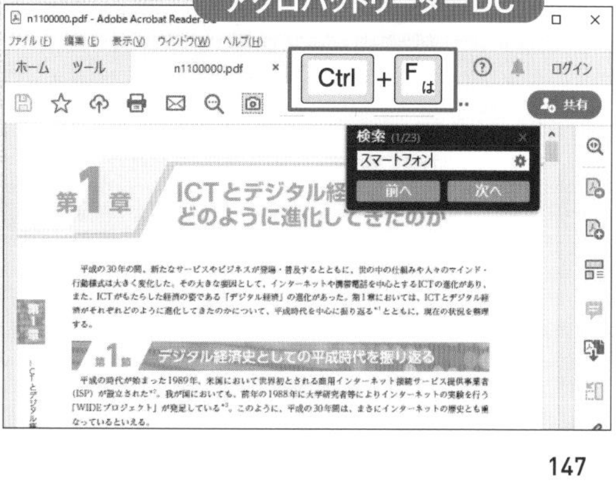

お役立ち度 ★★★★★

最新の情報に更新する

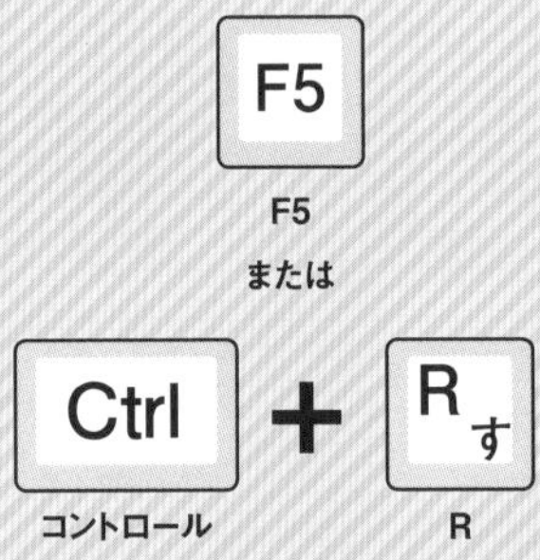

「F5」キーを押すか、「Ctrl」キーを押しながら「R」キーを押す

ブラウザーの情報が更新されているはずなのに、反映されていない――。

そんなときは、「F5」キーを押そう。再読み込みされて、新しい情報を表示できる（**図1**）。「Ctrl」キーを押しながら「R」キーを押してもよい。「Reload」（再読み込み、更新）の「R」と覚えておこう。

それでも反映されない場合は、「Ctrl」キーを押しながら「F5」キーを押すと、キャッシュを利用せずにサーバーにある最新の情報を再表示する。

「F5」キーでブラウザーの最新情報を確認

図1 ブラウザーの更新が反映されていないと思ったら、「F5」キーを押してリロードしよう。それでもダメな場合は「Ctrl」＋「F5」キーだ。これを、一般的にはスーパーリロードと呼ぶ

お役立ち度 ★★★★

直前に見たウェブページを再表示する

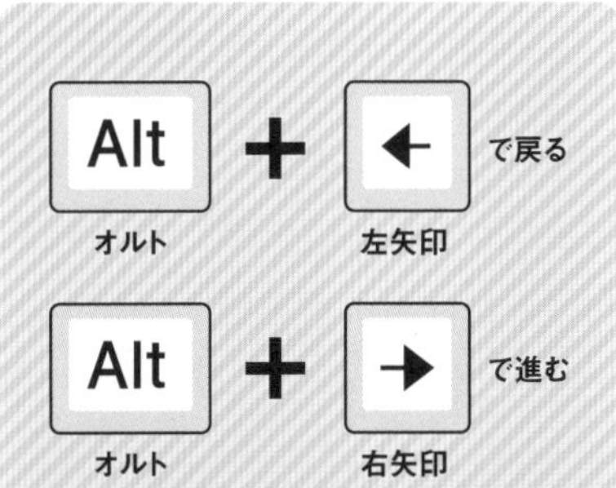

直前に見ていたウェブページに戻るには「Alt」キーを押しながら「←」（左矢印）キーを、先に進むには「Alt」キーを押しながら「→」（右矢印）キーを押す

リンクをクリックして別のページを表示した後で、直前に表示していたウェブページに戻りたいことがある。ブラウザーの「戻る」ボタンを押してもよいが、画面の左上までマウスを動かすのが遠いと感じるなら、キー操作を使おう。

「Alt」キーを押しながら「←」（左矢印）キーを押すと、直前のページに表示を戻せる（**図1**）。この後、元のページに戻る（進む）には、「Alt」キーを押しながら「→」（右矢印）キーを押す。

■「Alt」＋「←」で戻り、「Alt」＋「→」で進む

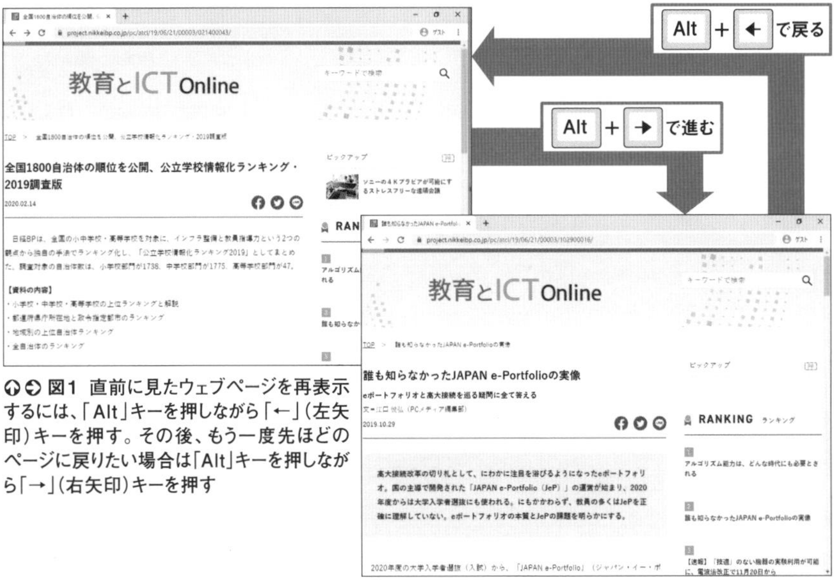

⬆➡ 図1　直前に見たウェブページを再表示するには、「Alt」キーを押しながら「←」（左矢印）キーを押す。その後、もう一度先ほどのページに戻りたい場合は「Alt」キーを押しながら「→」（右矢印）キーを押す

お役立ち度 ★★★☆☆

ウェブページの表示を拡大・縮小する

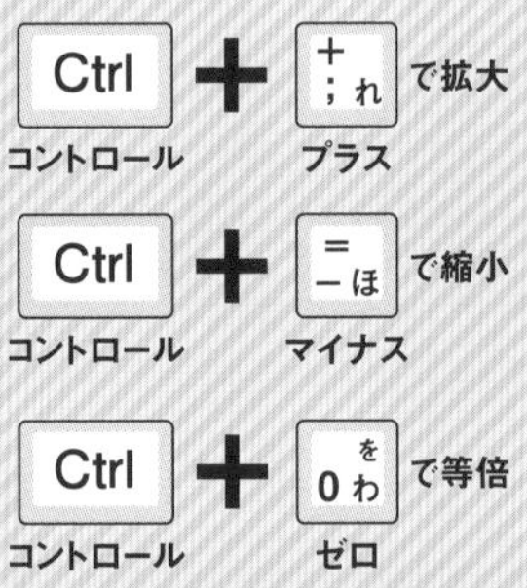

「Ctrl」キーを押しながらそれぞれのキーを押す。「+」キーなら拡大、「−」キーなら縮小、「0」キーなら等倍に戻る

ウェブページの表示を拡大・縮小するには、キー操作だけでも可能だ。

表示を拡大するには、「Ctrl」キーを押しながら「+」(プラス)キーを押す。縮小するには、「Ctrl」キーを押しながら「−」(マイナス)キーを押す(**図1**)。等倍に戻すには、「Ctrl」キーを押しながら数字の「0」(ゼロ)キーを押せばよい。大きく拡大したり縮小したりしていても、「Ctrl」+「0」キーで等倍(100%)に戻せる。いずれもテンキーも利用可能だ。

■「Ctrl」+「+」、「Ctrl」+「−」でウェブページの表示を拡大・縮小

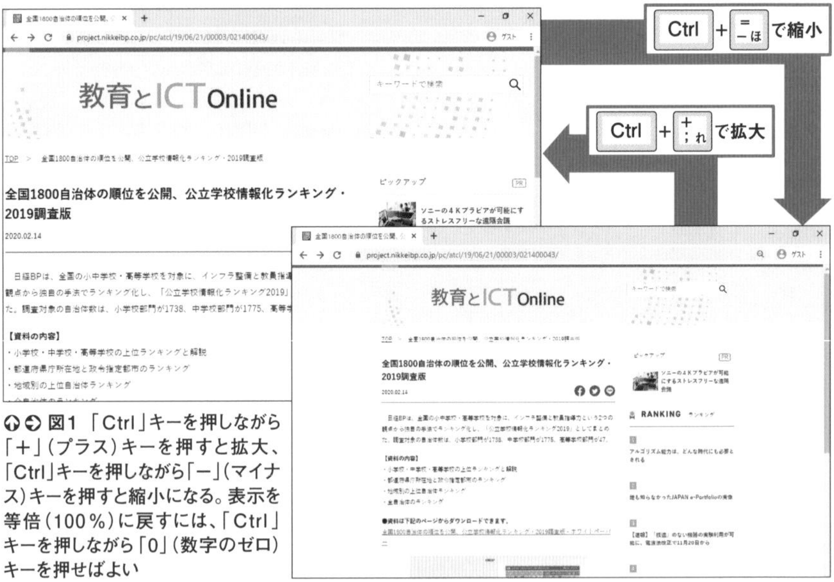

↑→ **図1** 「Ctrl」キーを押しながら「+」(プラス)キーを押すと拡大、「Ctrl」キーを押しながら「−」(マイナス)キーを押すと縮小になる。表示を等倍(100%)に戻すには、「Ctrl」キーを押しながら「0」(数字のゼロ)キーを押せばよい

お役立ち度 ★★★★

新しいウインドウを開く

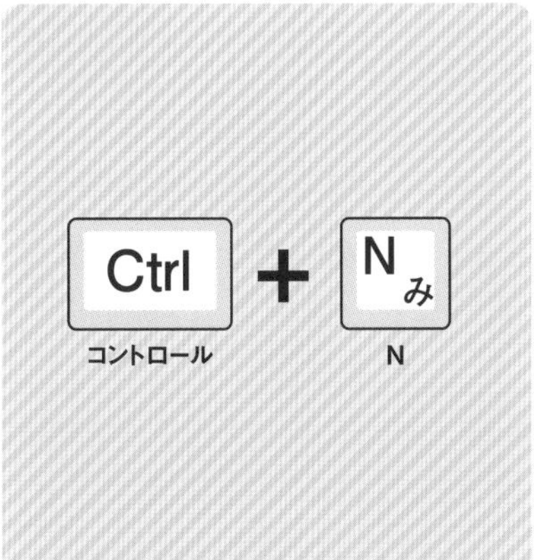

「Ctrl」キーを押しながら「N」キーを押す

ウインドウを新規に開くには、メニューアイコンをクリックする必要があるが、キー操作なら簡単だ。「Ctrl」キーを押しながら「N」キーを押せば、現在開いているウインドウとは別に新しいウインドウを開ける（**図1**）。

クロームではホームページに設定したページが、エッジでは起動時に開くページに設定したページが表示された状態で新しいウインドウが開く（**図2**）。「New」の「N」と覚えておくとよい。

「Ctrl」＋「N」で新しいウインドウを開く

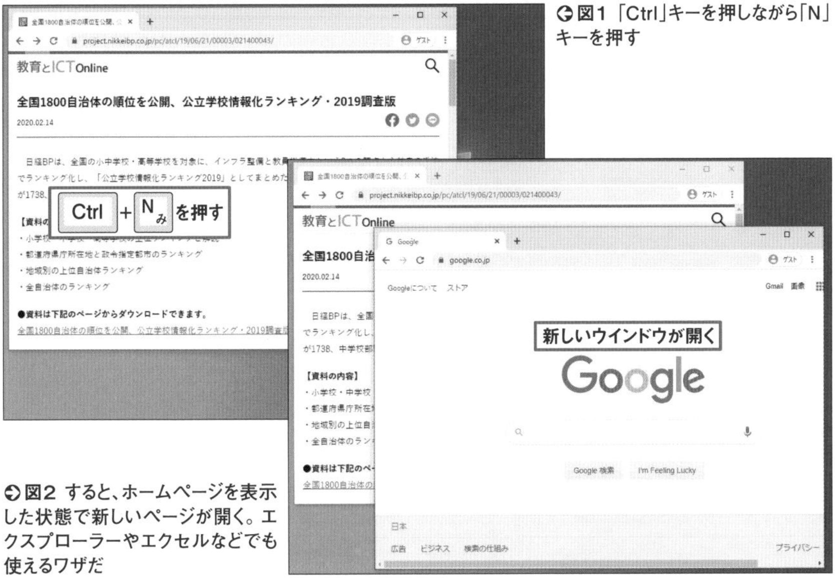

図1 「Ctrl」キーを押しながら「N」キーを押す

図2 すると、ホームページを表示した状態で新しいページが開く。エクスプローラーやエクセルなどでも使えるワザだ

お役立ち度 ★★★★★

新しいタブを開く

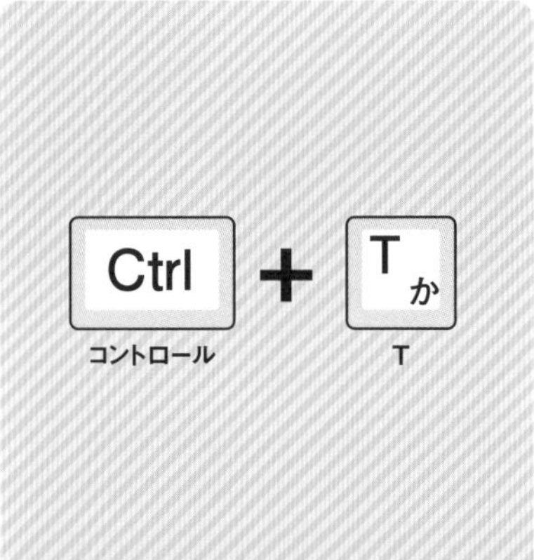

「Ctrl」キーを押しながら「T」キーを押す

新しいタブを開くには、タブの右側にある「+」マークをクリックするのが一般的だが、キー操作でも可能だ。

新しいタブを開くには、「Ctrl」キーを押しながら「T」キーを押す（**図1、図2**）。「Tab」の「T」と覚えておこう。

クロームの場合は「ホームページ」に設定しているページが開く。エッジの場合は、初期設定ではよく使うサイトのリンクやニュースの一覧が開くが、「設定」画面でカスタマイズも可能だ。

「Ctrl」+「T」で新しいタブを開ける

図1 新しいタブを開きたいときは、「Ctrl」キーを押しながら「T」キーを押す

図2 すると、クロームの場合は「ホームページ」に設定しているページが開く

お役立ち度 ★★★★

複数のタブを切り替える

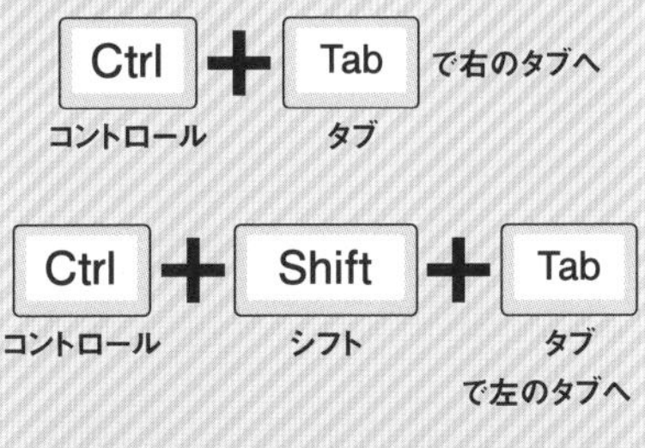

「Ctrl」キーを押しながら「Tab」キーを押すと、右のタブへ表示を切り替える。それに「Shift」キーを加えると、逆の動きになる（左のタブに切り替わる）

複数のタブを使っているときに表示を切り替えるには、タブの部分をクリックするのが一般的。しかし、キー操作をメインに作業をしているとき、いちいちマウスを持つのは面倒。キー操作で素早く切り替えるワザを知っておくと、時短できる。

右のタブへ切り替えるには「Ctrl」キーを押しながら「Tab」キーを押す。左のタブへ切り替えるには、逆の動きをする「Shift」を加えて「Ctrl」+「Shift」+「Tab」キーでOKだ（**図1**）。

「Ctrl」+「Tab」、「Ctrl」+「Shift」+「Tab」でタブを自在に行き来できる

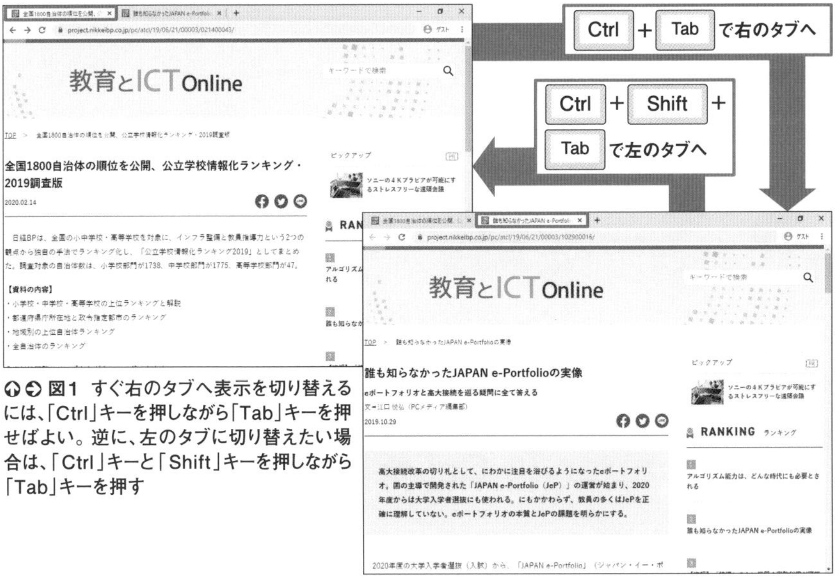

図1 すぐ右のタブへ表示を切り替えるには、「Ctrl」キーを押しながら「Tab」キーを押せばよい。逆に、左のタブに切り替えたい場合は、「Ctrl」キーと「Shift」キーを押しながら「Tab」キーを押す

お役立ち度 ★★★★★

表示しているタブを閉じる

「Ctrl」キーを押しながら「W」キーを押す

タブを複数開いていると、煩わしく感じることもある。不要なタブは閉じてしまおう。タブの「×」マークをクリックして閉じることもできるが、キー操作で閉じるほうが手早い。

閉じたいタブが表示されている状態で「Ctrl」キーを押しながら「W」キーを押せばよい（**図1**、**図2**）。タブが1つしかないときは、ブラウザーが終了する。リンク先のページを複数開いているときなど、この操作で次々と閉じていける。

「Ctrl」+「W」で開いているタブを閉じる

図1 閉じたいタブを表示して「Ctrl」キーを押しながら「W」キーを押す

図2 表示していたタブが閉じる。なお、タブが1つしか開いていない場合は、ブラウザー自体が終了する

近藤《こんどう》さん、我《われ》に返《かえ》って、タブ閉《と》じる

Ctrl　W て　タブを閉じる

Column 「Ctrl」＋「Shit」＋クリックで別タブに

ウェブページにあるリンクをマウスでクリックするとき、「Ctrl」キーと「Shift」キーを押しながらクリックすると、リンク先を別のタブで開きつつ前面に表示できる。元のページを保持したまま、リンク先をチェックしたいときなどに便利だ。

この「Ctrl」＋「Shift」＋クリックと、「Ctrl」＋「W」というショートカットキーを覚えると、ウェブ閲覧の効率が格段に上がる。「Ctrl」＋「Shift」＋クリックでリンク先を開いた後、ひと通り読んで不要になったら「Ctrl」＋「W」キーで閉じればよい。例えば、検索サイトでの検索結果を順番に確認するときなどに威力を発揮する。

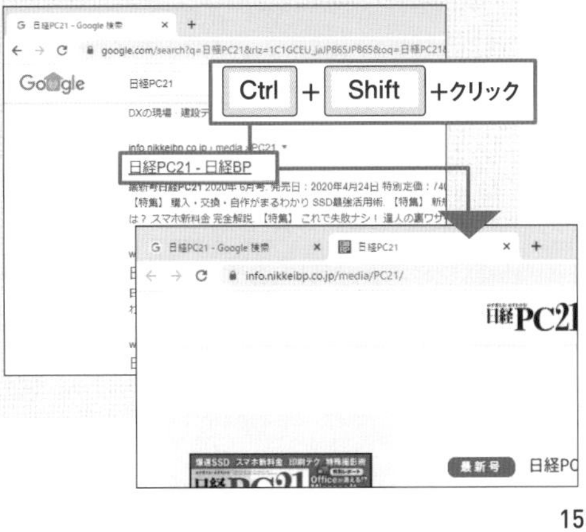

お役立ち度 ★★★★☆

閉じたタブを再表示する

「Ctrl」キーと「Shift」キーを押しながら「T」キーを押す

必要な情報が書かれたウェブページのタブを誤って閉じてしまい、後悔した経験はないだろうか。しかし、こんな場合でも慌てることはない。キー操作一発で簡単に再表示できるのだ。

閉じたタブを再度表示するには、「Ctrl」キーと「Shift」キーを押しながら、「T」キーを押せばよい（**図1**）。これで、閉じたタブを復元できる（**図2**）。閉じたタブが複数ある場合は、直前で閉じたものから順に再表示される。

「Ctrl」＋「Shift」＋「T」で閉じたタブを復活！

図1 閉じたタブを再表示したいときは、「Ctrl」キーと「Shift」キーを押しながら「T」キーを押す

図2 これで、閉じたタブを再表示できる。直前に閉じたものから順に次々と復元できる

過去に表示したウェブページの履歴を開く

「Ctrl」キーを押しながら「H」キーを押す。「History」の「H」と覚えておこう

以前に表示したウェブページをもう一度見たいが、すでに閉じてしまったし、URLも覚えていない――。

こんなときは、履歴機能を使おう。過去に表示したページの履歴一覧から見たいものをクリックするだけで、そのページを表示できるという便利な機能だ。

履歴一覧を表示するには、「Ctrl」キーを押しながら「H」キーを押せばよい（**図1**）。目的のページをクリックすれば、そのページを表示できる。

「Ctrl」＋「H」で過去に見たページの履歴を表示

↑→ 図1 過去に表示したウェブページの履歴一覧を開くには、「Ctrl」キーを押しながら「H」キーを押す（❶）。これで履歴一覧が別タブに開く（❷）

お役立ち度 ★★★

過去にダウンロードした履歴を開く

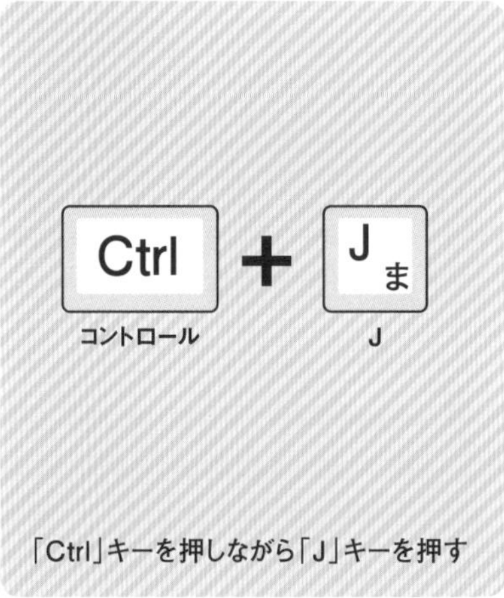

以前にダウンロードしたファイルの在りかがわからない——。そんな場合はダウンロード履歴を表示して確認しよう。

ダウンロード履歴一覧を表示するには、「Ctrl」キーを押しながら「J」キーを押す（**図1**）。クロームやエッジの場合は新しいタブで表示され、ファイル名をクリックするとファイルが開き、URLをクリックするとそのページが表示される。旧エッジの場合は、ページの右側に一覧が表示され、クリックでファイルを開ける。

■「Ctrl」＋「J」で過去にダウンロードした履歴を表示

⬆➡ 図1　過去にダウンロードした履歴一覧を開くには、「Ctrl」キーを押しながら「J」キーを押す（❶❷）。ここでファイル名をクリックすれば、そのファイルを開くことができる

お役立ち度 ★★★

カーソルをアドレスバーに瞬時に移動する

「Alt」キーを押しながら「D」キーを押す

ウェブページを閲覧している最中に、ほかのサイトを閲覧したりキーワードで検索したりしたくなることは多い。そんなとき、いちいちアドレスバーをマウスでクリックするより、キー操作一発でカーソルを移動するほうが手っ取り早い。

それには、「Alt」キーを押しながら「D」キーを押そう（**図1**）。すると、アドレスバーの文字列が選択された青色の状態になるので、そのままURLや検索したい文字列を入力すればよい（**図2**）。

「Alt」＋「D」ですぐに検索できる状態に

図1 アドレスバーに即座にカーソルを移動するには、「Alt」キーを押しながら「D」キーを押す

図2 アドレスバーが選択された状態になるので、URLや文字列を入力する

Check!

「Ctrl」＋「L」でもOK

「Ctrl」キーを押しながら「L」キーを押してもアドレスバーが選択された状態になるので、そのまま文字列を入力すればよい。

お役立ち度 ★★★★

現在のページを印刷する

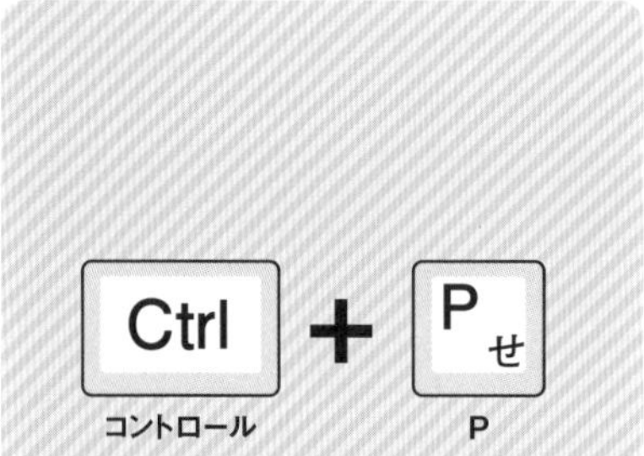

「Ctrl」キーを押しながら「P」キーを押す

ウェブ上の情報を印刷して会議で配るなど、ウェブページを印刷したいというシチュエーションがある。そんなときはマウスでメニューから選ぶより、キー操作のほうが素早い。

印刷したいページを開いて、「Ctrl」キーを押しながら「P」キーを押そう（**図1**）。「Print」の「P」と覚えておけば忘れにくい。このキー操作は、エクセルやワードなどほかのアプリでも共通で活用できるので、ぜひ覚えておきたい。

■「Ctrl」+「P」でウェブページを印刷

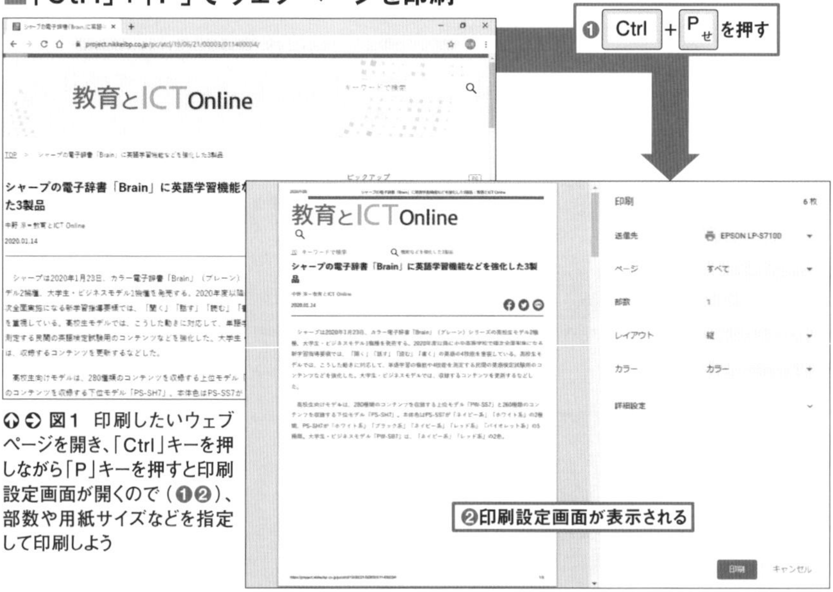

⇧⇨ 図1　印刷したいウェブページを開き、「Ctrl」キーを押しながら「P」キーを押すと印刷設定画面が開くので（❶❷）、部数や用紙サイズなどを指定して印刷しよう

お役立ち度 ★★★★

ウェブページを全画面表示にする

「F11」キーを押すと、全画面表示になる

ブラウザーにはタブやアドレスバー、ブックマークバーなどが画面上部にある。縦幅を広げてたくさん情報を表示したい場合は、全画面表示機能を使おう。

「F11」キーを押すと、パワーポイントのスライドショーのようにウェブページを全画面で表示することができる（**図1**）。全画面表示にしても、スクロールやリンクのクリックなどはもちろん有効だ。全画面表示から通常の画面に戻るには、もう一度「F11」キーを押せばよい。

■ウェブページをフルスクリーンで見たい場合は「F11」キー

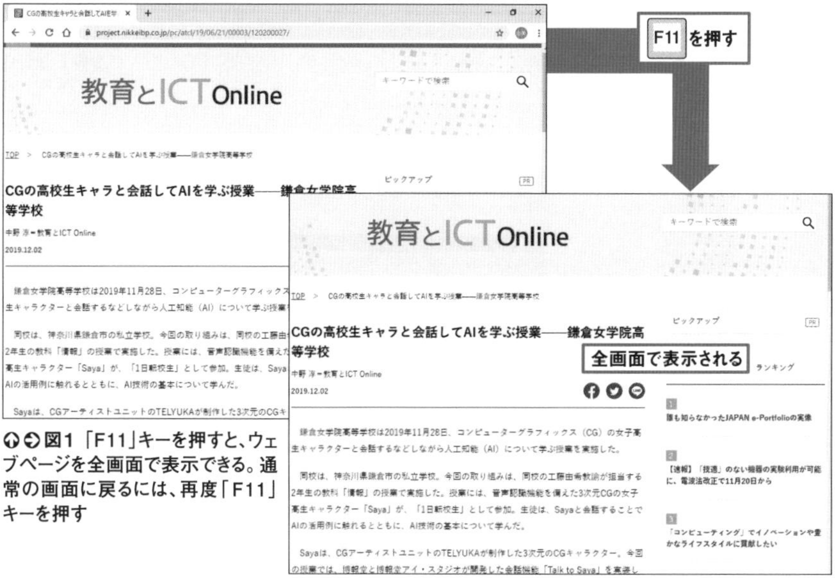

↑→図1 「F11」キーを押すと、ウェブページを全画面で表示できる。通常の画面に戻るには、再度「F11」キーを押す

お役立ち度 ★★★★

アドレスバーに入力した文字列に www. と .com を追加する

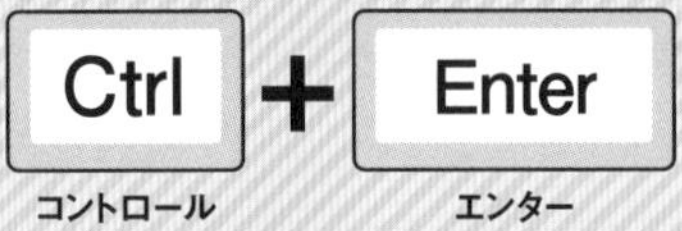

「Ctrl」キーを押しながら「Enter」キーを押す

アドレスバーにURLを直接入力する際、できるだけ入力文字数を少なくしたい。URL入力後、「Enter」キーではなく、「Ctrl」キーを押しながら「Enter」キーを押すと、文字列の前後に「www.」と「.com」を補完してくれるという便利な機能がある（**図1、図2**）。

なお、クロームの場合は、「https://www.」などの表示は省略されているが、URLをダブルクリックするときちんと入力されていることがわかる。

「Ctrl」＋「Enter」でURL入力を時短!

➲ **図1** 社名やショップ名などの部分のみ入力し、「Ctrl」キーを押しながら「Enter」キーを押す（❶❷）

➲ **図2** 「www.」と「.com」が補完されてウェブページにアクセスできる

お役立ち度 ★★★★★

ソースコードを表示する

「Ctrl」キーを押しながら「U」キーを押す

ウェブページは「HTML」という言語で書かれている。そのHTMLの記述を確認したい場合は、「Ctrl」キーを押しながら「U」キーを押す。するとソースコードが表示され、どのように記述されているのかを閲覧することができる（**図1**）。

テストサイトにウェブページをアップロードしたものの、うまく表示されない——。そんなときはソースコードを表示すれば、どこの記述が間違っているのかを発見することができる。

「Ctrl」＋「U」でソースコードを表示!

↑→図1 ウェブページを表示した状態で「Ctrl」キーを押しながら「U」キーを押す。すると、ソースコードが表示される。クロームは別タブで、エッジはページの右側に表示される

ワンポイント

ノートパソコンのキー割り当てを変更する❶

ノートパソコンで、「Ctrl」キーの位置が通常と違うと感じたことがある人はいないだろうか。一般的には、左下隅に「Ctrl」キーがあり、その右隣に「Fn」キーがある（**図1左**）。「Fn」キーは、1つのキーに2つの機能を割り当てている場合に利用する。1つの機能はそのままキーを押せば実行でき、もう1つの機能は「Fn」キーを押しながら押すと実行できるように割り当てられている。

しかし一部のノートパソコンでは、これら2つのキーの配置が反対になっている場合がある（**図1右**）。

このキー配置が使いにくいと感じたら、キーの割り当てを変更できるかどうか、マニュアルで確認してみよう。多くの場合は、BIOS（UEFI）の設定画面の中に、キー設定を切り替えるためのメニューが用意されている（**図2**）。設定変更により、左下隅の「Fn」キーを「Ctrl」キーとして使い、その右隣の「Ctrl」キーを「Fn」キーとして使えるようになる。

BIOS設定画面の表示・操作方法はパソコンのマニュアルを参照しよう。

●「Ctrl」と「Fn」キーの割り当てを入れ替える

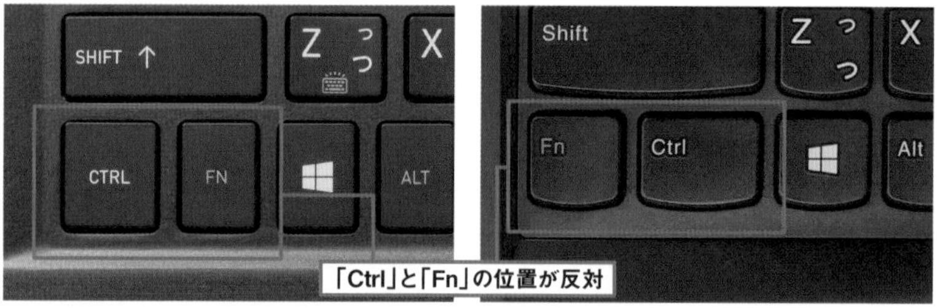

図1　一般にノートパソコンの日本語キーボードでは、左下隅に「Ctrl」キーが、その右隣に「Fn」キーがある。ただし、一部のノートパソコンは「Ctrl」キーと「Fn」キーの位置が逆になっている。使いづらければ、割り当てを変更しよう

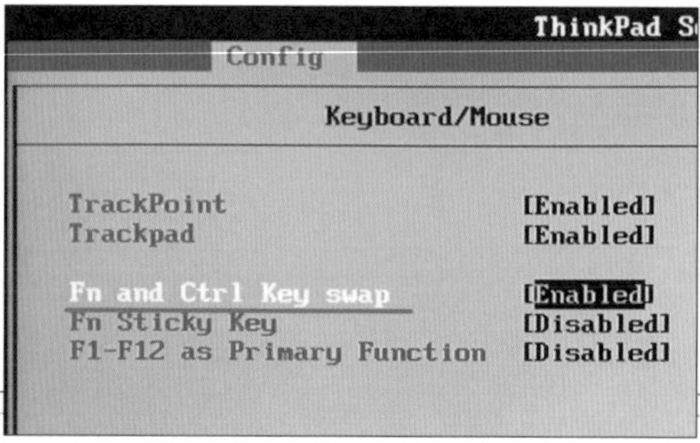

図2「Ctrl」キーと「Fn」キーの割り当てを、BIOS（UEFI）の設定で切り替えられる機種もある。図1右はレノボ・ジャパンの「ThinkPad T480s」の例。左図で「Fn and Ctrl Key swap」を有効（Enabled）にすると、左下隅にある「Fn」キーが「Ctrl」キーの役割になり、その右隣の「Ctrl」キーが「Fn」キーの役割になる

6章

日本語入力

文章を入力する際、
カタカナや英字に変換したいことはよくある。
ショートカットキーならホームポジションから
手を離さずに操作できる。
これらを覚えておけば、入力が
スピードアップすること間違いなし!

お役立ち度 ★★★★★

入力した文字をカタカナや英字に変換する

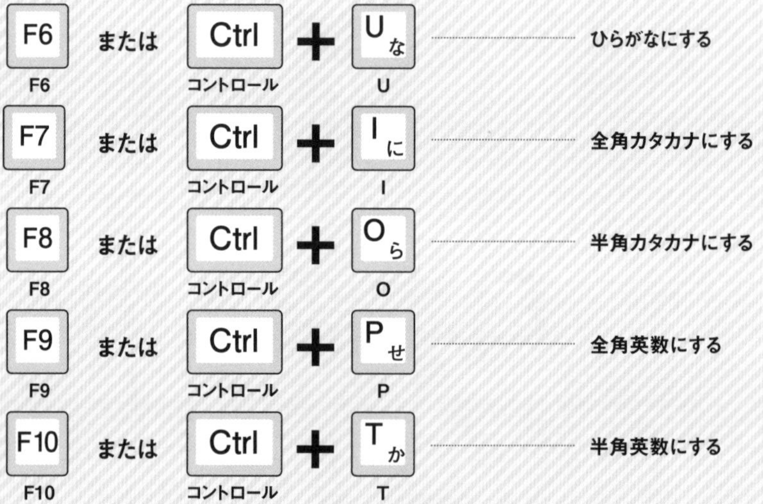

ファンクションキーを使うとさまざまな文字種に変換できる。「Ctrl」キーを使ったショートカットキーもある

文字入力に使う「IME」(日本語入力ソフト)。ローマ字を入力して「変換」またはスペースキーを押して候補を選ぶのが一般的だが、カタカナや英数字に変換するならファンクションキーが早い(**図1、図2**)。

ローマ字でかなを入力した後、「F7」キーで全角カタカナ、「F8」キーで半角カタカナになる。「F9」キーで全角英数、「F10」キーで半角英数に変換できる。「F9」キーと「F10」キーは押すたびに小文字→大文字→先頭のみ大文字に次々と変わっていく。漢字変換中に押しても問題ない。

Check!

IMEのオン／オフを切り替える

全角/半角

IMEをオンにするには、「半角／全角」キーを押す。通知領域に「あ」と表示されれば日本語を入力することができる。もう一度同じキーを押すと「あ」が「A」に変わり、IMEがオフになる。ほかのIMEを利用する場合は、IMEを切り替える必要がある。切り替え方法は178ページを参照してほしい。

■ひらなが／全角カタカナ／半角カタカナ／全角英数／半角英数にする

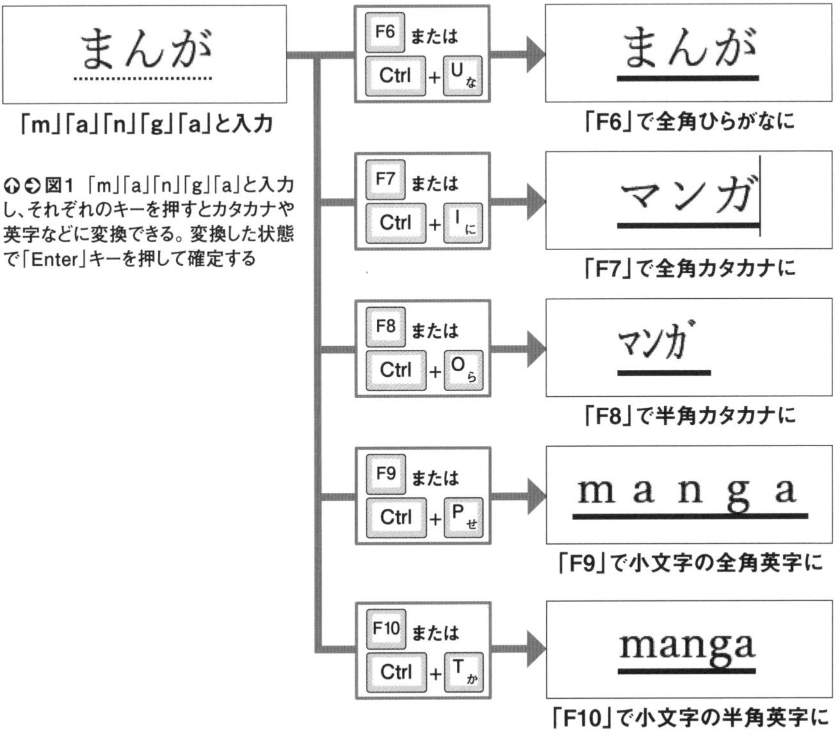

⇧⇨図1 「m」「a」「n」「g」「a」と入力し、それぞれのキーを押すとカタカナや英字などに変換できる。変換した状態で「Enter」キーを押して確定する

■英字の大文字、小文字を切り替える

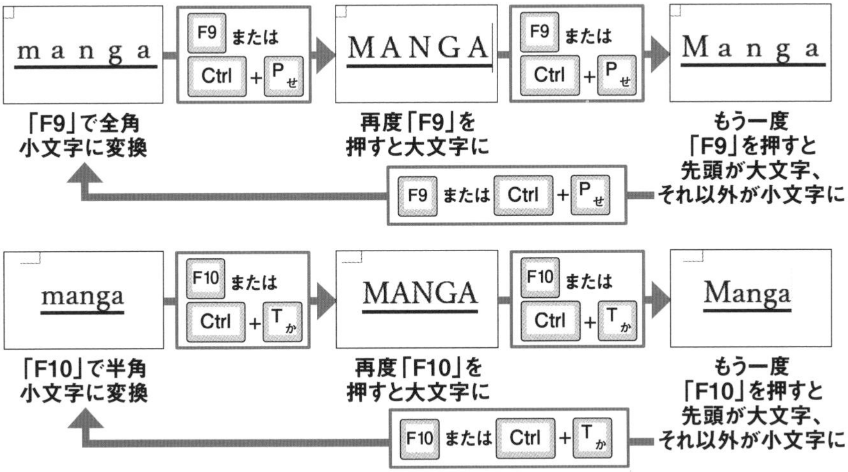

⇧図2 英字の場合はまず小文字に変換した後、「F9」キーや「F10」キーを押すたびに大文字→先頭大文字→再び小文字と切り替わっていく

お役立ち度 ★★★★

単語を登録する

「Ctrl」キーを押しながら「F7」キーを押す

珍しい名前や固有名詞など、変換しづらい単語は単語登録しておくとよい。

登録したい単語を選択した状態で「Ctrl」キーを押しながら「F7」キーを押そう（**図1**）。すると「単語の登録」ダイアログボックスが表示されるので、読みや品詞を設定する（**図2**）。登録できたら、変換できるかどうか試してみよう（**図3**）。

なお、177ページで紹介する「IMEメニューを表示する」操作から「単語の登録」を選んでもよい。

■「Ctrl」＋「F7」で単語登録

図1 登録したい単語を選択した状態で、「Ctrl」キーを押しながら「F7」キーを押す（❶❷）

図2 「単語の登録」ダイアログボックスが表示されるので、読みや品詞を設定する

図3 登録した単語が問題なく変換できることを確認しよう

近藤《こんどう》さん、タンゴの服《ふく》着《き》て、七《しち》並《なら》べ

Ctrl　F7　**単語を登録する**

Column 文章も「単語登録」して効率化

IMEのユーザー辞書に登録できるのは単語だけではない。最大60字までの文や文章を登録できるので、よく使う文や文章に適当な「よみ」を割り当てて登録しておくとよい。

例えば「いつも」という言葉から「いつもお世話になっております。」という文に変換できるように登録しておけば、メールを書く際などのあいさつ文の入力を大幅に省力化できる。この場合、「品詞」は「短縮よみ」として登録しよう。

なお、登録する文や文章に改行を含めたり、書式を設定したりすることはできない。

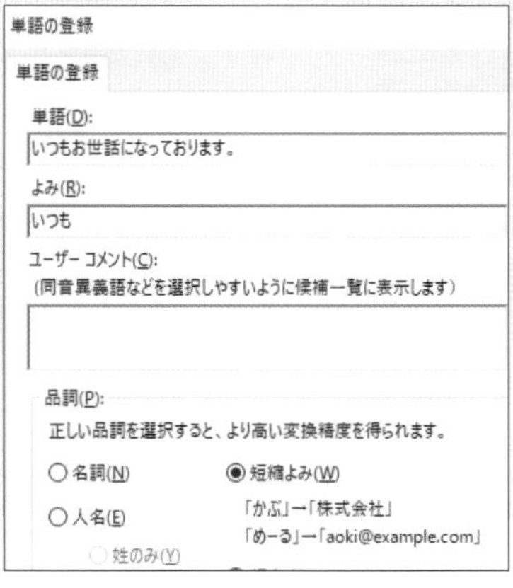

お役立ち度 ★★★★

確定していない文字を読みの状態に戻す

「Shift」キーを押しながら「Esc」を押す

文字を入力し、スペースキーを押して変換したものの、読みの途中を一部変更したい——。そんなときは、一旦変換を取り消して、元の状態に戻そう。

「Shift」キーを押しながら「Esc」キーを押すと、変換中の文字がすべてひらがなの状態に戻る。そうしたら、左矢印キーでカーソルを移動し、文字を削除したり追加したりする（**図1**）。あとは右矢印キーで文節を移動し、正しい単語を選択して確定する（**図2**）。

■「Shift」＋「Esc」で変換状態から元に戻す

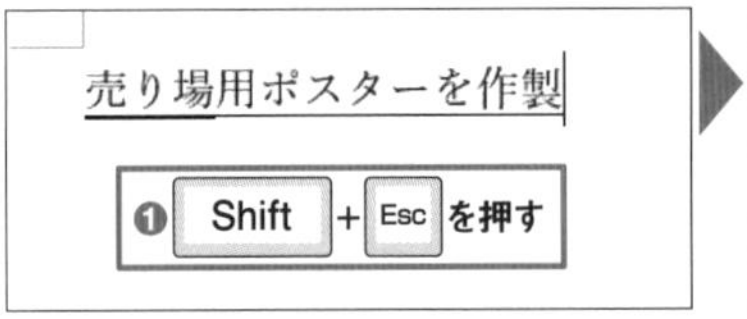

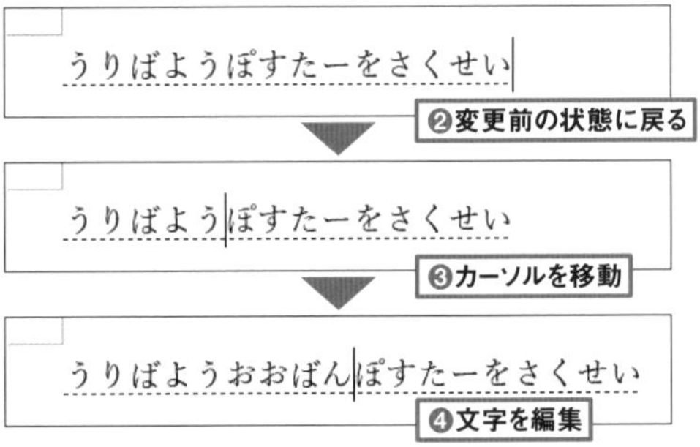

↑→ **図1** 変換した状態で「Shift」キーを押しながら「Esc」キーを押すと（❶）、すべてひらがなの状態に戻る（❷）。左矢印キーで、文字を編集したい場所にカーソルを移動し（❸）、編集する。ここでは文字を追加している（❹）

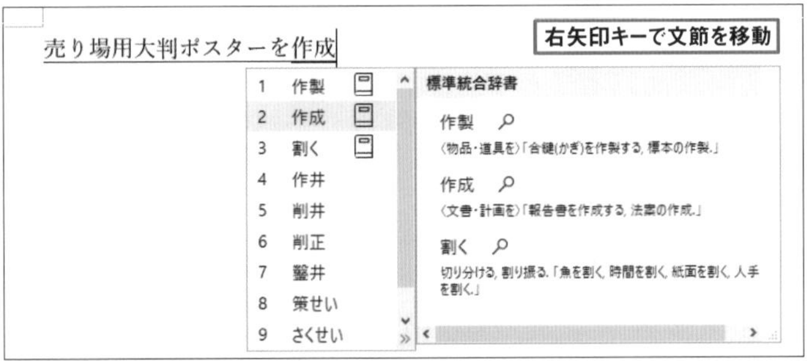

← **図2** 正しい文字列はそのまま右矢印キーで文節を移動し、違っている場合はスペースキーでほかの変換候補を表示し、正しい単語を選ぶ

お役立ち度 ★★★★

確定した文字を確定前の状態に戻す

「Ctrl」キーを押しながら「BackSpace」キーを押す

文字列を確定したが、間違いを発見してしまった——。そんなときでも、確定直後であれば確定前の状態に戻すことができる。

確定直後に「Ctrl」キーを押しながら「BackSpace」キーを押すと、変換中の状態に戻る（**図1**、**図2**）。左ページのキー操作を組み合わせると、さらに遡ってひらがなの状態にまで戻せる（**図3**）。なお、カーソルを動かしたり、別の文字を入力したりすると、このキーは無効となる。

■「Ctrl」＋「BackSpace」で、変換後も確定前の状態に戻せる!

図1 確定してしまったが、変換前の状態に戻したい場合は「Ctrl」キーを押しながら「BackSpace」キーを押す

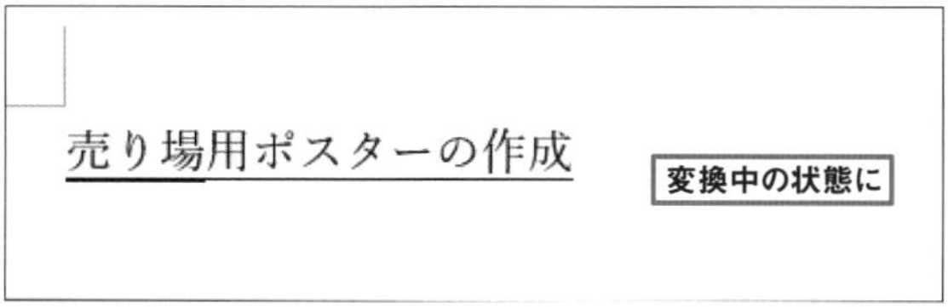

図2 確定前の、変換中の状態に戻る

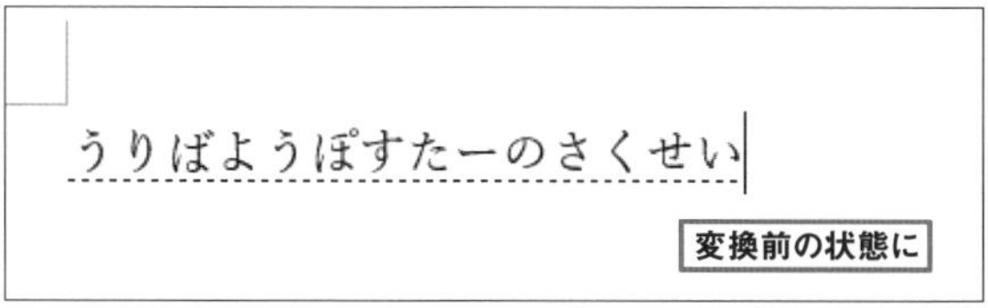

図3 図2の状態で、左ページの「Shift」＋「Esc」キーを押すと、さらに1段階前（変換前）の状態に戻せる

お役立ち度 ★★★

文節の区切り位置を1文字前／後ろへ移動する

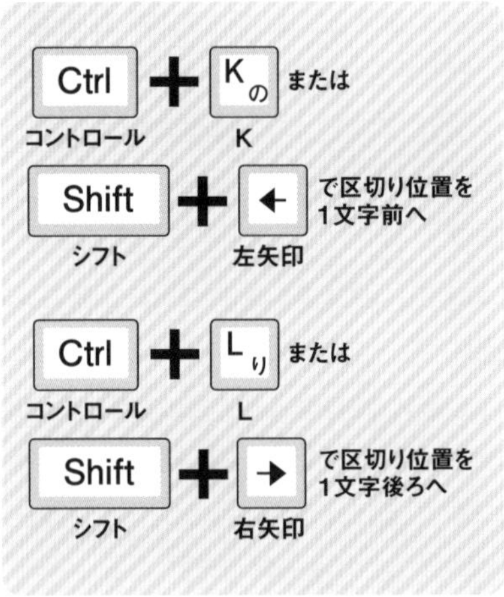

「昨日は医者に行きました。」と「昨日歯医者に行きました。」――昔から文節区切りの間違いによる誤変換の例としてよく登場する文だ。

こんな誤変換が起きたら、ショートカットキーで文節の区切り位置を移動すればよい。「Ctrl」キーを押しながら「K」キーを押すと区切り位置を1文字前に移動できる（**図1**）。逆に、1文字後ろに移動したいときは「Ctrl」キーを押しながら「L」キーを押せばよい（**図2**）。

■「Ctrl」＋「K」または「Shift」＋「←」で区切り位置を1文字前へ

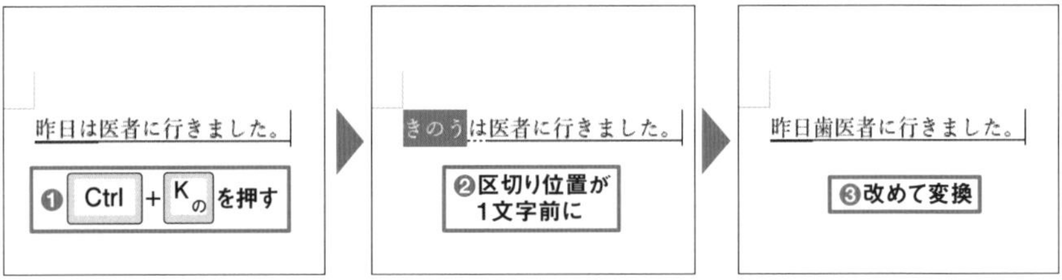

図1 変換したが、文節の区切り位置が1つ後ろになってしまった場合は、「Ctrl」キーを押しながら「K」キーを押す（❶）。すると区切り位置が1文字前に移動するので（❷）、改めて変換し直す（❸）。「Ctrl」＋「K」キーの代わりに「Shift」＋「←」キーを押してもよい

■「Ctrl」＋「L」または「Shift」＋「→」で区切り位置を1文字後ろへ

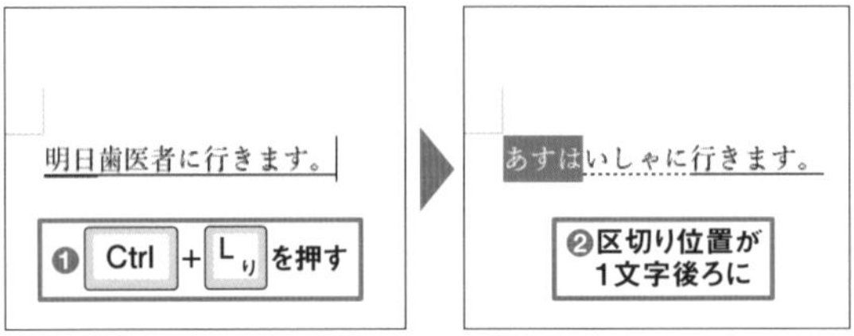

図2 文節の区切り位置が1つ前になってしまった場合は、「Ctrl」キーを押しながら「L」キーを押し、区切り位置を1文字後ろへ移動させる（❶❷）。「Ctrl」＋「L」キーの代わりに「Shift」＋「→」キーを押してもよい

お役立ち度
★★★

入力したすべての文字を確定する

Ctrl
コントロール
M
も
M

すべての文字を確定するには「Ctrl」キーを押しながら「M」キーを押す

通常、文字を確定するには「Enter」キーを押す。しかし「Enter」キーを押すには、ホームポジションから右手を離さないといけない人もいるだろう。

ショートカットキーを使えば、ホームポジションをキープしたまま文字を確定することができる。文字を入力して変換したら、「Ctrl」キーを押しながら「M」キーを押そう。これで全部の文字を確定できる(**図1**)。「Ctrl」キーを左手小指で、「M」キーを右手人差し指で押す。

「Ctrl」+「M」ですべての文字を確定!

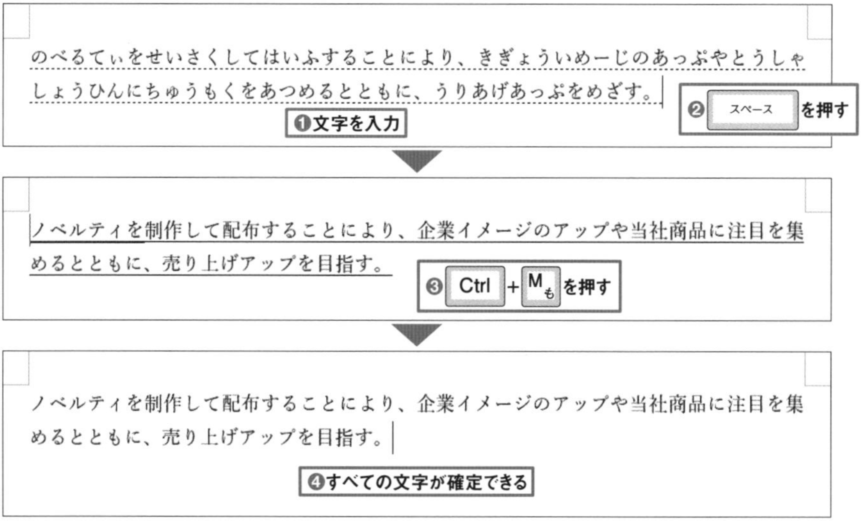
のべるてぃをせいさくしてはいふすることにより、きぎょういめーじのあっぷやとうしゃしょうひんにちゅうもくをあつめるとともに、うりあげあっぷをめざす。
❶文字を入力
❷ スペース を押す
ノベルティを制作して配布することにより、企業イメージのアップや当社商品に注目を集めるとともに、売り上げアップを目指す。
❸ Ctrl + M も を押す
ノベルティを制作して配布することにより、企業イメージのアップや当社商品に注目を集めるとともに、売り上げアップを目指す。
❹すべての文字が確定できる

図1 文字を入力して「スペース」キーで変換する(❶❷)。「Ctrl」キーを押しながら「M」キーを押すと(❸)、すべての文字を確定できる(❹)

お役立ち度 ★★★

選択された文節のみを確定する

Ctrl
N み
コントロール
N

選択された文節のみを確定には「Ctrl」キーを押しながら「N」キーを押す

前ページではすべての文字を確定するショートカットキーを紹介した。では、途中に変換し直すべき文節がある場合はどうするかというと、その文節まで文節ごとに部分確定していけばよい。

「Ctrl」キーを押しながら「N」キーを押すと、選択された文節のみを確定できる（**図1**）。これを繰り返し、修正すべき文節になったら変換し直せばよい。その後がすべて正しければ「Ctrl」+「M」キーで全確定する。

■「Ctrl」＋「N」で選択された文節のみを確定!

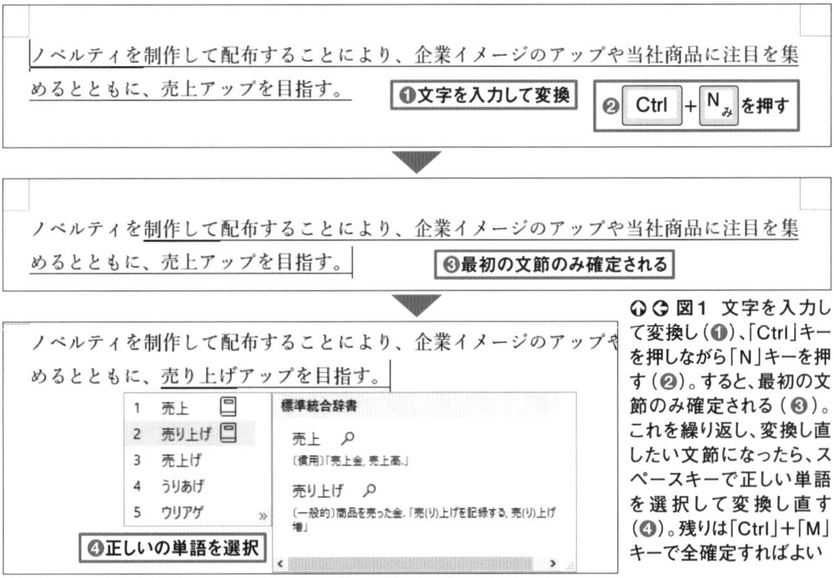

ノベルティを制作して配布することにより、企業イメージのアップや当社商品に注目を集めるとともに、売上アップを目指す。
❶文字を入力して変換
❷ Ctrl + N み を押す
ノベルティを制作して配布することにより、企業イメージのアップや当社商品に注目を集めるとともに、売上アップを目指す。
❸最初の文節のみ確定される
ノベルティを制作して配布することにより、企業イメージのアップや
めるとともに、売り上げアップを目指す。
1 売上
2 売り上げ
3 売上げ
4 うりあげ
5 ウリアゲ
標準統合辞書
売上
〔慣用〕「売上金, 売上高.」
売り上げ
〔一般的〕商品を売った金. 「売(り)上げを記録する, 売(り)上げ増」
❹正しいの単語を選択

↑← 図1 文字を入力して変換し（❶）、「Ctrl」キーを押しながら「N」キーを押す（❷）。すると、最初の文節のみ確定される（❸）。これを繰り返し、変換し直したい文節になったら、スペースキーで正しい単語を選択して変換し直す（❹）。残りは「Ctrl」+「M」キーで全確定すればよい

お役立ち度 ★★★

入力中および変換中に文字を削除する

Ctrl
H く
コントロール
H

入力中および変換中に文字を削除するには「Ctrl」キーを押しながら「H」キーを押す

「当社商品」と入力しなければいけないところを、「当社製品」と入力しかけてしまった――。そんなときも、わざわざ「Back Space」キーにまで指を伸ばさなくても、ホームポジションから押せるショートカットキーがある。

「Ctrl」キーを押しながら「H」キーを押すと、後ろから1文字ずつ削除できる(**図1**)。「H」キーは右手の人差し指で押す。変換中に押すと、漢字変換中なら漢字1文字分が削除される。

■「Ctrl」+「H」で入力中および変換中に1文字ずつ削除!

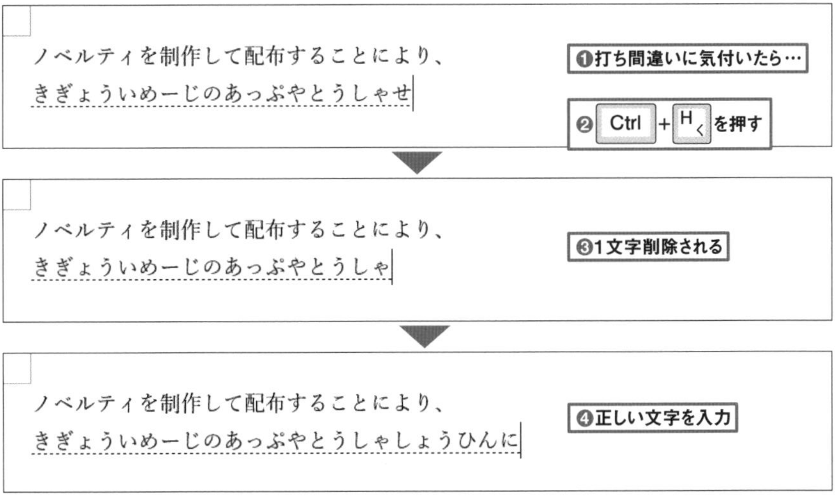

ノベルティを制作して配布することにより、
きぎょういめーじのあっぷやとうしゃせ
❶打ち間違いに気付いたら…
❷ Ctrl + H く を押す
ノベルティを制作して配布することにより、
きぎょういめーじのあっぷやとうしゃ
❸1文字削除される
ノベルティを制作して配布することにより、
きぎょういめーじのあっぷやとうしゃしょうひんに
❹正しい文字を入力

図1 文字を入力中に打ち間違いに気付いたら、「Ctrl」キーを押しながら「H」キーを押す(❶❷)。すると、末尾の1文字が削除される(❸)。あとは正しい文字を入力すればよい(❹)。この操作は変換中でも実行可能だ

お役立ち度 ★★★

操作する文節を右や左に移動する

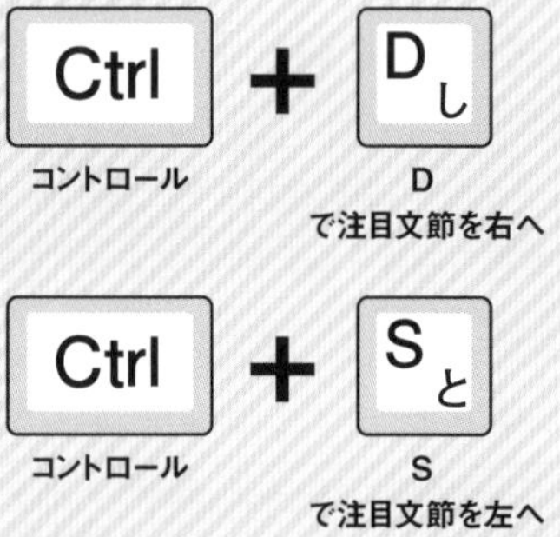
Ctrl + D し
コントロール
D
で注目文節を右へ
Ctrl + S と
コントロール
S
で注目文節を左へ

「Ctrl」キーを押しながら「D」キーまたは「S」キーを押す

文章を入力し、途中の文節だけ変換し直したい。そんなとき、174ページの「Ctrl」+「N」キーを押して文節ごとに確定していく方法もあるが、もう1つやり方がある。

「Ctrl」キーを押しながら「D」キーを押して注目文節（操作対象の文節）を右方向へ移動し、変換し直したら「Ctrl」+「M」キーでまとめて確定する（**図1**）。注目文節の移動は左右矢印でも可能だが、ショートカットキーを使えば、ホームポジションから手を離さずに済む。

■「Ctrl」+「D」、「Ctrl」+「S」で注目文節を自在に移動!

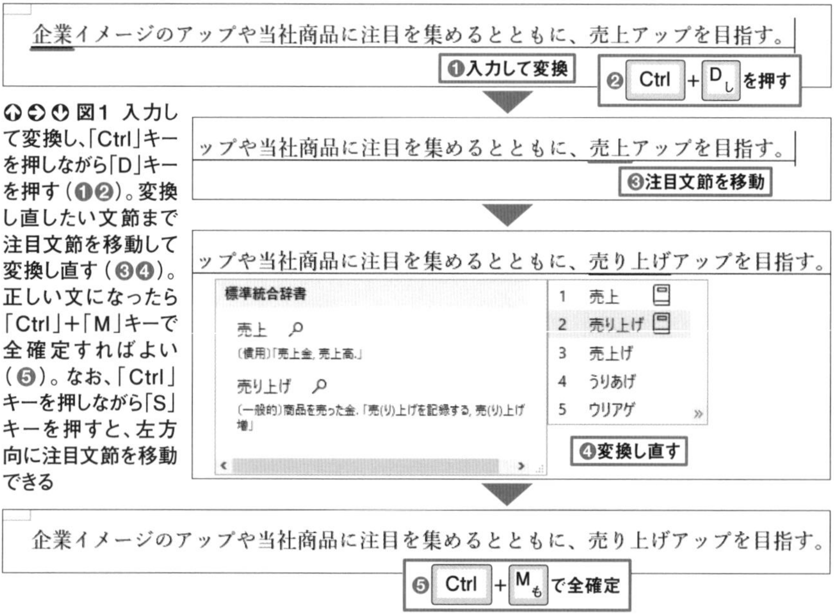
企業イメージのアップや当社商品に注目を集めるとともに、売上アップを目指す。
❶入力して変換
❷ Ctrl + D し を押す
ップや当社商品に注目を集めるとともに、売上アップを目指す。
❸注目文節を移動
ップや当社商品に注目を集めるとともに、売り上げアップを目指す。
標準統合辞書
売上
〔慣用〕「売上金, 売上高.」
売り上げ
〔一般的〕商品を売った金. 「売(り)上げを記録する, 売(り)上げ増」
1 売上
2 売り上げ
3 売上げ
4 うりあげ
5 ウリアゲ
❹変換し直す
企業イメージのアップや当社商品に注目を集めるとともに、売り上げアップを目指す。
❺ Ctrl + M も で全確定

図1 入力して変換し、「Ctrl」キーを押しながら「D」キーを押す（❶❷）。変換し直したい文節まで注目文節を移動して変換し直す（❸❹）。正しい文になったら「Ctrl」+「M」キーで全確定すればよい（❺）。なお、「Ctrl」キーを押しながら「S」キーを押すと、左方向に注目文節を移動できる

お役立ち度 ★★★★★

IMEメニューを表示する

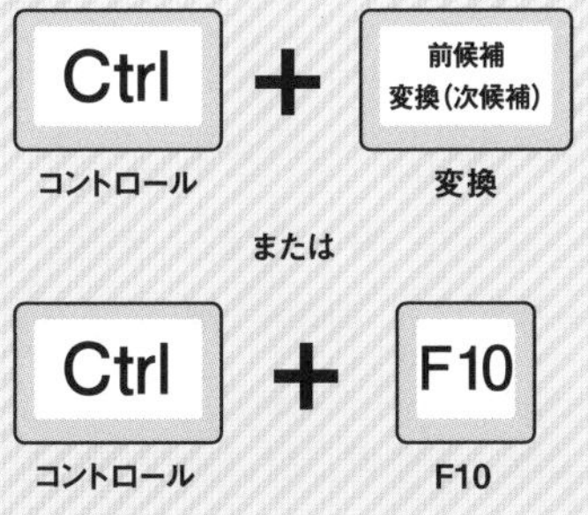

「Ctrl」キーを押しながら「変換」キーまたは「F10」キーを押す

IMEパッドを利用したり、ユーザー辞書ツールを開いたりしたいときには、IMEのメニューを表示しよう。

それには「Ctrl」キーを押しながら「変換」キーを押す。「変換」キーは、「スペース」キーの右隣にある(**図1**)。「変換」キーの代わりに「F10」キーを押してもよい。メニューが表示されたら、マウスまたは上下矢印キーで目的のメニューを選んで「Enter」キーを押せばよい(**図2**)。

■「Ctrl」+「変換」でIMEメニューを表示

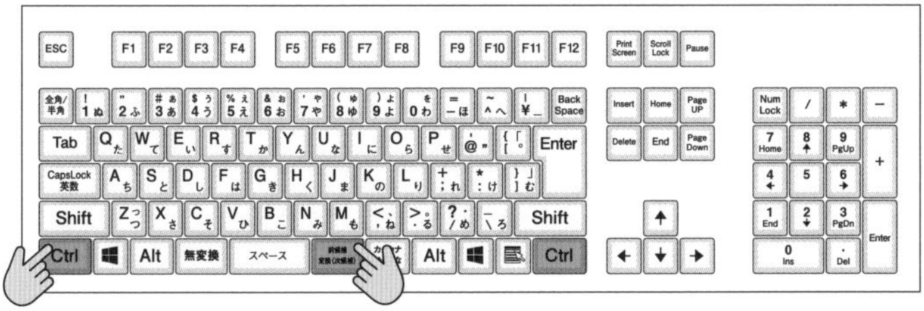

図1 「変換」キーは、「スペース」キーの右隣にある

図2 「Ctrl」キーを押しながら「変換」キーを押すと(❶)、IMEメニューが表示される(❷)。マウスまたは上下矢印キーと「Enter」キーでメニューを選ぶ(❸)

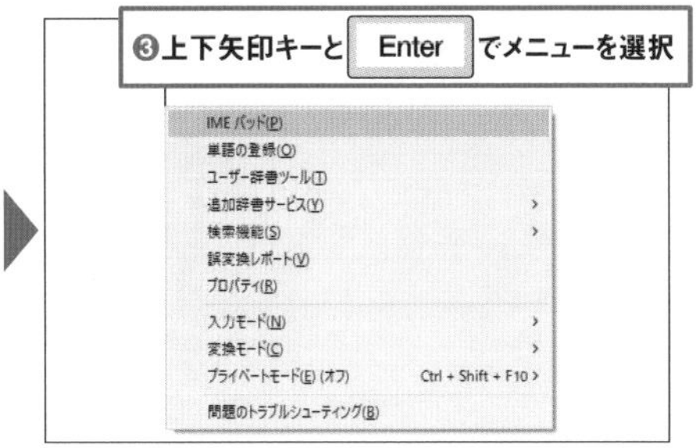

お役立ち度 ★★★★

IMEを切り替える

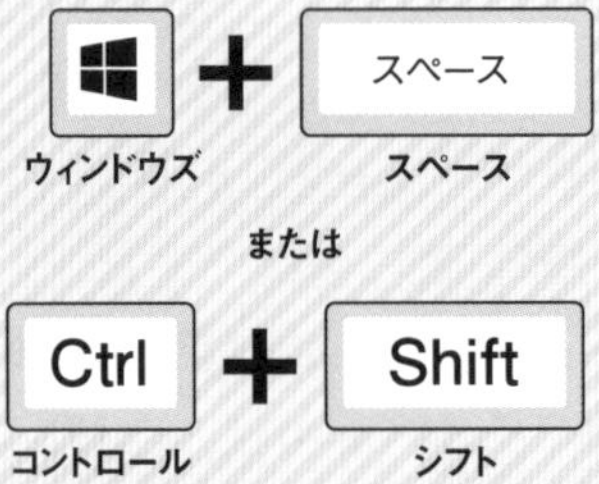

「ウィンドウズ」キーを押しながらスペースキーを押すか、「Ctrl」キーを押しながら「Shift」キーを押すと、IMEを切り替えられる

ウィンドウズ10には、「Microsoft IME」が付属しているが、ATOKなどほかのIMEをインストールしている場合は、それらを切り替えることができる。

「ウィンドウズ」キーを押しながらスペースキーを押すと、切り替え画面が表示される。「ウィンドウズ」キーを押したままスペースキーを押すたびに、選択が切り替わるので、使用したいIMEが選ばれた状態で「ウィンドウズ」キーから指を離せばよい（**図1**）。

■「ウィンドウズ」＋スペースキーでIMEの切り替え

➡⬇図1 IMEを切り替えたい場合は、「ウィンドウズ」キーを押しながらスペースキーを押し、切り替え画面が現れたら「ウィンドウズ」キーを押したまま、目的のIMEが選ばれるまでスペースキーを何度か押す（❶）。使用したいIMEがアクティブになった状態で「ウィンドウズ」キーから指を離せばよい（❷）。「Ctrl」＋「Shift」キーでも切り替え可能だ

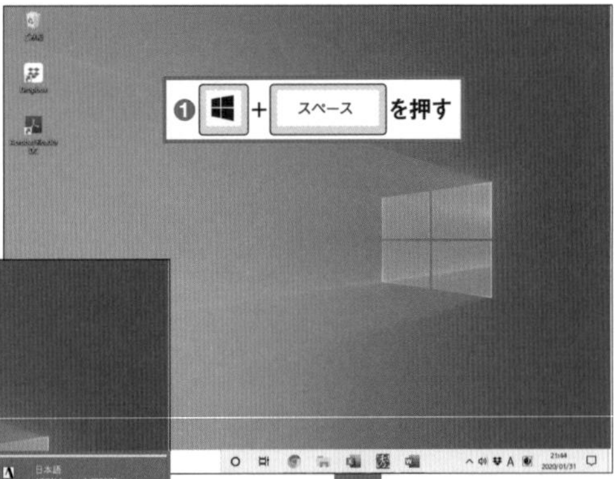

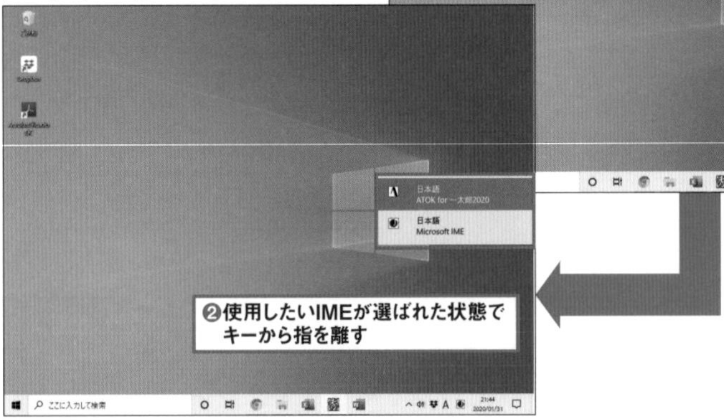

ワンポイント ノートパソコンのキー割り当てを変更する❷

一部のノートパソコンやキーボード取り付け可能なタブレットでは、ファンクションキーに液晶の明るさ調整や音量調整などの機能が割り当てられている。ファンクションキーとしての機能を実行するためには、「Fn」キーを押しながら押す必要がある場合がある。

ショートカットキーには、ファンクションキーと別のキーを組み合わせたものもあるため、さらにそのうえに「Fn」キーを押す必要があり、複雑になってしまう。

例えば、エクセルで新しいワークシートを挿入するには「Shift」キーを押しながら「F11」キーを押すが、これに「Fn」キーをプラスしないといけない。

ワードでブロック単位で文字列を選択する場合は、「Ctrl」キーと「Shift」キーを押しながら「F8」キーを押すため、「Fn」キーを加えると、4つのキーを押さなければいけないことになる。

しかし、それぞれの機種では、ファンクションキーを使いやすくする設定を設けていることがほとんどだ。

例えば「サーフェス」のタイプカバーでは、種類によって2つの方法がある。「Fn」キーがロックできる機種の場合、「Fn」キーを押してライトが点灯すると、ファンクションキーがロックされた状態になり、同時に押さなくても押した状態をキープできる（**図1**）。解除したいときは、再度「Fn」キーを押せばよい。もう1つは、「Fn」キーを押しながら「Caps Lock」キーを押すと、ファンクションキーがロックされるタイプだ。

ほかにも、キーボードのプロパティで変更できるもの、BIOS（UEFI）画面から変更するものなどもある。音量調整などの機能とファンクションキー自体の機能のうち、よく使うほうを「Fn」キーなしで使えるようにしておくとよいだろう。

図1 これは、「Fn」キーがロックできるマイクロソフトのタブレット「サーフェス」用のタイプカバー

索引

索引

特典ダウンロードのパスワード

PC21SCTJT

日経PC21

1996年3月創刊の月刊誌。仕事にパソコンを活用するための実用情報を、わかりやすい言葉と豊富な図解・イラストで紹介。エクセル、ワードなどのアプリケーションソフトやクラウドサービスの使い方から、プリンター、デジタルカメラなどの周辺機器、スマートフォンの活用法まで、最新の情報を丁寧に解説している。

ショートカットキー超速時短術

2020年6月15日　第1版第1刷発行
2021年9月22日　第1版第3刷発行

編　　集　日経PC21
執筆協力　内藤由美
発 行 者　中野 淳
発　　行　日経BP
発　　売　日経BPマーケティング
〒105-8308　東京都港区虎ノ門4-3-12

装　　丁　小口翔平＋岩永香穂（tobufune）
本文デザイン　桑原 徹＋櫻井克也（Kuwa Design）
イラスト　朝倉千夏
制　　作　会津圭一郎（ティー・ハウス）
印刷・製本　図書印刷株式会社
ISBN978-4-296-10664-6

本書籍に関するお問い合わせ、ご連絡は下記にて承ります。
https://nkbp.jp/booksQA